Dwayne
Peel

HUNANGOFIANT

Dwayne Peel gyda Lynn Davies

y Lolfa

Diolch i Mam a Dad am eu cefnogaeth.
Dwi'n gwerthfawrogi eu hamser a'u hymroddiad
dros y blynyddoedd er mwyn i fi gael gwireddu
fy mreuddwydion.

Argraffiad cyntaf: 2012

Dymuna'r cyhoeddwyr gydnabod cymorth ariannol
Cyngor Llyfrau Cymru

Llun y clawr: Getty Images
Cynllun y clawr: Y Lolfa

Rhif Llyfr Rhyngwladol: 978 1 84771 600 2

FSC

Cyhoeddwyd, rhwymwyd ac argraffwyd yng Nghymru gan
Y Lolfa Cyf., Talybont, Ceredigion SY24 5HE
gwefan www.ylolfa.com
e-bost ylolfa@ylolfa.com
ffôn 01970 832 304
ffacs 832 782

CYNNWYS

1

Mynd i Sale

ERS PAN O'N i'n grwtyn bach ro'n i'n meddwl y byd o Glwb Rygbi Llanelli. Buodd y naw mlynedd a dreulies i ar y Strade, gyda thîm ieuenctid Llanelli, clwb Llanelli ac yna Scarlets Llanelli, yn rhai hapus dros ben. Fe ges i 'nhrin yn ardderchog gan y tîm rheoli a'r tîm hyfforddi ac fe gawn i dderbyniad da gan y cefnogwyr bob amser. Ro'n ni wedi ca'l tymor da iawn yn 2006–7, ein blwyddyn gynta o dan hyfforddiant Phil Davies, drwy ga'l buddugoliaethe cofiadwy yn erbyn Toulouse, Munster ac Ulster yng nghystadleuaeth Cwpan Heineken. 'Sen i'n dweud hefyd taw dyna odd y tymor gore ro'n i eriod wedi'i ga'l yng nghrys y Scarlets. Felly, ma'n siŵr bod rhai pobol wedi ca'l eitha sioc pan symudes i o'r Strade ymhen rhyw flwyddyn i chware dros glwb Sale, ar bwys Manceinion. Ond, mewn gwirionedd, ro'n i wedi mynd i deimlo'n rhy gysurus a chartrefol ar y Strade a dechreues feddwl, wrth i dymor 2007–8 fynd yn ei flan, ei bod hi'n bryd i fi chwilio am sialens newydd.

Ro'n i wedi byw ar hyd 'yn oes yn yr un math o gymdeithas ac wedi cymysgu gyda'r un math o chwaraewyr. Ond er cystal odd y profiade 'nny, ro'n i'n gwbod, pe na bawn i'n neud penderfyniad i symud cyn bo hir, taw gyda'r Scarlets y byddwn i tan ddiwedd 'y ngyrfa. Ro'n i'n awyddus i brofi math gwahanol o rygbi, yng nghwmni criw gwahanol o bobol, mewn ardal gwbwl wahanol i'r un ro'n i'n gyfarwydd â hi, cyn iddi fynd yn rhy hwyr. A'th 'yn ffrind gore i yn y

clwb, Stephen Jones, drwy'r un profiad pan benderfynodd
e adel Llanelli ac ymuno â chlwb Clermont, yn Ffrainc,
ychydig flynydde ynghynt.

Ar y pryd ro'n i a'n wejen, Jess, yn bwriadu priodi ac yn
gobeitho dechre teulu. Bydde symud bant i fyw cyn i 'nny
ddigwydd yn neud sens, rhag ofn i amgylchiadau personol
ein rhwystro ni rhag mynd. Wrth gwrs, ro'n i wedi trafod
'y nheimlade a'n rhesyme gyda Jess ac rodd hi o'r un farn
â fi. Rodd 'y nghytundeb i gyda'r Scarlets yn dod i ben, er
bod 'da fi opsiwn i aros gyda nhw am bedair blynedd arall
os o'n i isie. Felly, fe roies i'r mater yn nwylo'n asiant i ac
wedi iddo fe neud ymholiade, mae'n debyg bod Sale, ac un
clwb arall o Loegr, a Stade Français yn Ffrainc yn awyddus
i'n arwyddo i. Fe fues i weld y tri chlwb, odd i gyd â phethe
positif iawn o'u plaid, ac ma'n debyg y byddwn i'n hapus yn
chware i unrhyw un ohonyn nhw.

Rodd 'da Sale dipyn i'w gynnig. Fe ges i ambell sgwrs
ffôn â'r hyfforddwr, Kingsley Jones a'r Cyfarwyddwr Rygbi,
y Ffrancwr, Philippe Saint-André, a bues i lan yn eu gweld
nhw cwpwl o weithe. Ro'n i'n nabod rhai o'r chwaraewyr,
fel Mark Cueto, Charlie Hodgson a Jason White ar ôl bod
yn eu cwmni ar daith y Llewod yn 2005. Ro'n i'n hoff o steil
y tîm o chware rygbi ac ro'n i'n gwbod eu bod nhw wedi
ca'l tipyn o lwyddiant ddwy flynedd ynghynt wrth ennill
pencampwriaeth Prif Adran clybie Lloegr. Rodd 'da nhw bac
cryf ar y pryd a bydde chware y tu ôl i flaenwyr rhyngwladol
fel Sebastian Chabal, Sebastien Bruno, Andrew Sheridan a
Fernández Lobbe yn bleser i unrhyw fewnwr.

Clwb eitha bach odd Sale, ddim yn annhebyg o ran seis
ac adnodde i'r Scarlets. Wrth gwrs, ro'n i'n gwbod y bydde'r
cyfleustere fydde 'da Llanelli ym Mharc y Scarlets, wedi
iddyn nhw symud yno rai misoedd yn ddiweddarach, dipyn
yn well na'r hyn odd ar ga'l yn Edgeley Park. Yn wir, do's
dim llawer o glybie ym Mhrydain â gwell adnodde na sy

gan y Scarlets erbyn hyn. Eto, ro'n i'n lico beth ro'n i wedi'i weld yn Sale yn fawr iawn a phenderfynes y byddwn i'n hapus iawn i ymuno â nhw. Ro'n i eisoes wedi sôn wrth Phil Davies 'mod i'n bwriadu gadel y Scarlets a taw i glwb Sale, yn fwy na thebyg, y byddwn i'n symud. Dwedodd e bod y clwb yn awyddus i weld fi'n aros ar y Strade ond gan ddymuno'r gore i fi pe bawn i'n penderfynu symud. Ro'n i hefyd wedi bod yn trafod y mater gyda'r teulu agos a gyda Stephen, gan addo y basen nhw'n ca'l gwbod pan fyddwn i wedi penderfynu'n derfynol.

Ar ôl trafodaethe pellach â chlwb Sale ar ddechre Ionawr 2008 ro'n i'n gwbod bo' fi'n mynd i ymuno â nhw. Fe ddwedes i 'nny wrthyn nhw gan roi gwbod i'r Scarlets ar yr un pryd. Ond er nad o'n i eto wedi arwyddo gyda Sale fe gysylltodd y Scarlets â'r cyfrynge yn syth ac fe gafodd y newyddion 'mod i'n ymuno â'r clwb o Loegr ei gyhoeddi ar Sky y bore wedyn. Do'n i ddim hyd yn oed wedi ca'l cyfle i ddweud wrth 'y nheulu agosa nac wrth Stephen na ffrindie da erill. Ro'n i'n grac ofnadw ac o'r farn bod Llanelli wedi bod yn ddiegwyddor iawn yn y ffordd nethon nhw drin y mater.

Bydde ymuno â Sale yn golygu y bydde'n rhaid i Jess hefyd wynebu tipyn o newid. Cyn i fi benderfynu gadel y Scarlets rodd hi'n athrawes yn Ysgol Gynradd Felinfoel. Bellach, bydde'n rhaid iddi fynd yn athrawes lanw yn ardal Manceinion… tipyn o sialens. Ro'n i wedi bod yn holi rhai o fois Sale ynglŷn â'r llefydd gore i fyw, felly fe ethon ni'n dau lan i'r ardal cwpwl o weithe i ga'l golwg ar y tai odd ar ga'l. Yn y diwedd fe benderfynon ni brynu tŷ yn Hale, ac ry'n ni'n hapus iawn yno. Dodd y tŷ ddim yn mynd i fod yn barod, yn anffodus, pan symudes i i Sale ym mis Mai, 2008 felly fe drefnes i i aros yn nhŷ Luke McAllister, un o olwyr enwog y Crysau Duon, odd ar lyfre Sale ar y pryd.

Rodd clybie Prif Adran Pencampwriaeth Lloegr yn gyfoethocach o dipyn na'r clybie odd yn chware yng

Nghynghrair Magners ar y pryd. Hynna, ma'n debyg, na'th i rai pobol feddwl 'mod i wedi symud i Loegr am fwy o arian. Ond dodd hynny ddim yn wir o gwbwl, achos fe ges i gynnig fwy o arian i aros yn Llanelli nag a gynigiodd Sale i fi. Ond rodd pethe erill, ar wahân i delere ariannol, rodd gofyn eu neud nhw'n glir yng nghytundeb Sale. Ro'n i'n daer isie ca'l 'yn lle 'nôl yn nhîm Cymru ac fe fynnes i bod 'y nghlwb newydd yn nodi y byddwn i'n rhydd i ymuno â charfan Cymru unrhyw bryd y bydde'r tîm cenedlaethol fy isie i, yn ôl canllawie'r Bwrdd Rygbi Rhyngwladol.

Ond wrth gwrs, yn ôl rheole'r IRB, dim ond am rai wythnose penodol y flwyddyn mae gofyn i'r clybie ryddhau eu chwaraewyr ar gyfer gême rhyngwladol. Yn Lloegr, y corff sy'n berchen ar gytundebe chwaraewyr y Premiership yw Premiership Rugby. Os yw tîm Lloegr am ddewis unrhyw chwaraewr ar gyfer sesiwn ymarfer neu i chware gêm y tu fas i'r cyfnod bydd yr IRB yn ei ganiatáu, yna mae'n rhaid i Undeb Rygbi Lloegr dalu'n ddrud i Premiership Rugby am ga'l ei wasanaeth e. Ac rodd hawl 'da Sale, yn ôl y canllawie 'nny, i beidio â'n rhyddhau i ar gyfer carfan Cymru ar adeg odd y tu fas i gyfnod penodol yr IRB.

Rodd Undeb Rygbi Cymru wedi cyhoeddi, cyn i fi arwyddo i Sale, y bydden nhw'n edrych yn fwy ffafriol ar y rheini odd yn chware yng Nghymru, o ran dewis chwaraewyr i gynrychioli'r tîm cenedlaethol. Ond, gan fod trafodaethe ar y gweill rhyngddo i a Sale cyn i'r datganiad polisi yna ga'l ei neud, fe ges i glywed gan Warren Gatland, mewn cyfarfod ges i gydag e cyn arwyddo, na fydde polisi newydd yr Undeb yn effeithio arna i. Dwi ddim mor siŵr erbyn hyn pa mo'r wir odd 'nny!

Ar ôl ca'l llawdriniaeth i ysgwydd boenus, a honno'n gwella'n dda, ro'n i'n edrych mlan yn fawr at ddechre tymor 2008–9 gyda Sale. Bydde rhai wedi dweud nad odd y steil o chware odd gan glybie Lloegr yn siwto 'ngêm bersonol i gyment â 'nny. Rodd pwyslais mawr ar beidio bod yn rhy fentrus, ar ennill tir trwy gico ac ar amddiffyn, odd yn wahanol i'r ffordd rodd y Scarlets yn lico chware yng Nghynghrair Magners. Y rheswm wrth gwrs am y diffyg antur yma o ran patrwm chware Prif Gynghrair Lloegr bryd 'nny odd bod y tîm fydde ar y gwaelod ar ddiwedd y tymor yn disgyn i adran is. Bydde'r clwb wedyn yn colli miloedd ar filoedd o bunnoedd mewn incwm. O ganlyniad, fel rodd cystadleuaeth Heineken yn hollbwysig i ni yn Llanelli, i rai o glybie Lloegr mae sicrhau dyfodol ym Mhrif Gynghrair y wlad yn bwysiach hyd yn oed na chystadlu yn yr Heineken. Ma hynny'n arbennig o wir hefyd am glybie Ffrainc.

Ond ro'n i'n ffyddiog y byddwn i'n mwynhau rygbi yn Sale. Rodd rhywfaint o ddylanwad Ffrainc ar agwedd y Cyfarwyddwr Rygbi tuag at y gêm, Philippe Saint-André, a fydde'n siwto fi i'r dim. Ro'n i'n gyfarwydd â phrif hyfforddwr Sale ar y pryd, sef Kingsley Jones, a fu'n flaenasgellwr da iawn yn nhîm Cymru am gyfnod. Rodd e'n amlwg yn fachan poblogaidd iawn yn y clwb pan es i yno, yn gymeriad a hanner, bob amser yn barod â rhyw sylw ffraeth. Ond rodd e'n deall ei rygbi ac rodd parch mawr iddo fel hyfforddwr.

Sylweddoles fod yr agwedd yn ystod y sesiyne hyfforddi yn llawer mwy hamddenol yn Sale. Dodd dim cymaint o sylw yn ca'l ei roi i ymarferion codi pwyse, na dim dadansoddi gême blaenorol ar fwrdd gwyn na siart. Yn ystod yr ymarfer mas ar y cae dodd Philippe na Kingsley ddim yn awyddus i weld chwaraewyr yn mynd i'r afael â'i gilydd o gwbwl, felly dim taclo odd y rheol. Yn y stafell newid hefyd rodd yr awyrgylch yn hollol wahanol yn y clwb newydd. Ar y Strade, bydde cadw reiat a thynnu coes, gan fod y rhan fwya o'r bois yn dod o'r un math o gefndir. Yn Sale rodd mwy o amrywiaeth, â'r chwaraewyr yn dod o sawl gwlad. Eto i gyd, pan gyrhaeddes i, rodd y croeso yr un mor gynnes â'r hyn ro'n i wedi arfer ag e yn Llanelli.

Ar y pryd, felly, do'n i ddim yn meddwl y bydde chware i un o glybie Lloegr yn rhwystr i fi rhag ca'l 'y newis i Gymru. Ond dyna yn sicr sydd wedi digwydd, am ddau reswm. Gan fy mod i'n chware dros y ffin bron bob wythnos, anamal iawn y bydda i'n dod i sylw hyfforddwyr tîm Cymru. Ar y llaw arall, maen nhw'n gweld y mewnwyr sydd yn chware i dime rhanbarthol Cymru yn rheolaidd ac yn gallu pwyso a mesur safon eu chware nhw'n gyson. O ganlyniad, y nhw sydd fel arfer yn ca'l y flaenoriaeth ym meddylie hyfforddwyr Cymru pan ddaw hi'n fater o ddewis tîm rhyngwladol. Yn ail, wrth gadw'n gaeth at ganllawie'r Bwrdd Rygbi Rhyngwladol, rodd hawl 'da Sale i wrthod 'yn rhyddhau i ar gyfer rhai sesiyne ymarfer gyda charfan Cymru. Dodd hynny'n sicr ddim yn hwb i 'ngobeithion i o ga'l 'y newis i'r tîm cenedlaethol!

Bu ffactore erill yn 'yn erbyn i o ran ca'l 'y newis i chware i Gymru. Yn ystod y ddwy flynedd gynta ro'n i yn Sale bues i'n eitha anlwcus drwy ddiodde anafiade. Yn naturiol, dodd hynny ddim yn help o ran ca'l 'yn lle yn rheolaidd yn y tîm. Ond hyd yn oed pan o'n i'n ffit, ches i ddim dechre cymaint o gême ag y byddwn i wedi lico neud. Polisi clwb Sale, yng ngharfan y tîm cynta, odd dewis pawb yn eu tro i ddechre gêm. Felly, er cystal ro'n i'n meddwl 'mod i wedi chware mewn ambell gêm, falle taw ar y fainc y byddwn i yn y gêm nesa. Do'n i ddim yn rhy hapus â'r drefen yna ar y dechre achos dodd e ddim yn rhoi cyfle i greu momentwm i'n chware i a finne'n awyddus i greu argraff. Wrth gwrs, yn ymladd yn fy erbyn i am safle'r mewnwr i dîm Sale bryd 'nny odd Richard Wigglesworth, odd wedi chware i Loegr, felly rodd hi'n gystadleuaeth frwd rhyngon ni.

O ran bywyd cymdeithasol, rodd Jess a fi wrth ein bodd yn Hale o'r dechre. Rodd 'da ni gylch o ffrindie da, y rhan fwya trwy glwb Sale, fel Nick McCloud, cyn chwaraewr y Gleision, sy'n dal i chware i'r tîm cyntaf, Chris Bell a Mark Cueto a'u partneriaid. Dodd setlo yno ddim yn broblem.

Ma cyment o gyfleustere ar bwys – siope mawr a bach, sinemâu, theatr, caffis a thai bwyta. Lle bydde'n rhaid i fi yng Nghymru deithio am ryw hanner awr i gyrradd llefydd fel hyn, ro'n nhw bellach o fewn tafliad carreg i'r tŷ. Pan fydda i am fynd i mewn i ddinas Manceinion, sydd ond ychydig o filltiroedd bant, y ffordd fwya cyfleus o drafaelu yw neidio ar un o'r trams sy'n mynd heibio'n amal. Ac wedi'r cyfan, os daw pwl bach o hiraeth, dim ond cwpwl o orie ma hi'n ei gymryd i gyrradd y Tymbl!

2

Gwreiddie

DYN Y FILLTIR sgwâr dwi wedi bod eriod. Fe ges i 'ngeni yn
Ysbyty Glangwili, Caerfyrddin a chyn i fi groesi'r ffin i fynd
i chware yn Lloegr, yng Nghwm Gwendraeth yn y Tymbl ac
ym mhentre Drefach fues i'n byw eriod. Yn y Cwm yr es i i'r
ysgol ac yno, am flynydde, y bues i'n chware rygbi, tan i fi
ddod yn ddigon hen i wisgo crys tîm ieuenctid Clwb Rygbi'r
Scarlets. Yno hefyd y buodd sawl cenhedlaeth o 'nheulu i'n
byw ac yno hefyd mae llawer o'n ffrindie gore i'n dal i fyw.
Clwb Rygbi'r Tymbl odd canolbwynt 'y mywyd cymdeithasol
i am flynydde a dwi'n dal i alw 'na'n eitha amal. Dyna'n
gwmws pam y penderfynes i, yn 26 oed, adel 'y nghynefin
er mwyn chwilio am brofiade newydd.

Er taw mewnfudwyr o Loegr, mae'n debyg, dda'th â'r
enw Peel i Gwm Gwendraeth, ac er bod 'da ni gysylltiade â
Iwerddon hefyd, mae gwreiddie'r teulu erbyn hyn yn ddwfwn
yn y rhan honno o Sir Gâr. Cafodd Dad, sy'n unig blentyn, ei
eni yn y Tymbl ond fe gafodd fy mam-gu, ar ochr Dad, ei geni
yn Wigan a'n nhad-cu, Bert Peel, yng Nghwmgwili. Rodd
e'n berson adnabyddus iawn ar Barc y Strade am flynydde
gan taw fe odd y dyn fydde'n rhedeg i'r cae, yn cario'i fwced
a'i sbwng, er mwyn rhoi gofal i chwaraewr fydde wedi ca'l
dolur. Bydde fe'n arfer trin chwaraewyr gartre hefyd gan
fod tipyn o enw ganddo fe fel ffisiotherapydd – dawn a
etifeddodd Dad ganddo, ond hyd yn hyn do's dim golwg ei
bod hi wedi cael ei throsglwyddo i fi! Yn ôl y sôn, rodd Dad-

cu'n gymeriad ac yn uchel iawn ei barch yn yr ardal ond yn anffodus ches i ddim cyfle i'w nabod e o gwbwl gan y buodd e farw dri mis ar ôl i fi ga'l 'y ngeni.

Un o Bontyberem yw Mam ond da'th teulu Mam-gu ar ochr Mam o Iwerddon i Drimsaran, lle cafodd hi ei chodi i fod yn Gymraes lân loyw. Ma hi'n bosib felly y byddwn i wedi bod yn gymwys i chware rygbi dros Gymru, Lloegr neu Iwerddon. Rodd hi'n arfer gweitho yn y cantîn ym Mhwll Glo Cynheidre a phan o'n i'n grwtyn bach ro'n i'n dwlu galw yno i'w gweld hi'n rheolaidd. Rodd Tad-cu, sef Ronnie Hancock, yn gweitho ym Mhwll Pentremawr ac mae e'n dal i fyw ym Mhontyberem ar ei ben ei hunan, ers colli Mam-gu rhyw 15 mlynedd 'nôl. Erbyn hyn ma Dats yn 86 mlwydd oed a bydda i'n galw gydag e bob cyfle ga' i, achos ry'n ni wedi bod yn ffrindie agos eriod ac ma 'da fi feddwl mawr ohono fe. Ma gan Mam un chwaer a dau frawd, ac maen nhw i gyd yn byw yn yr ardal ac, o ganlyniad, fe gafodd 'yn chwaer, Yana, a fi ein magu mewn teulu clòs iawn.

Er i ni symud o'r Tymbl dair milltir lawr yr hewl i fyw ym mhentre Drefach pan o'n i'n 12 oed, dwi wedi styried 'yn hunan eriod yn fachan o'r Tymbl. Eto, pan symudes i o gartre yn 2004, i rannu tŷ gyda Jess, 'y ngwraig i erbyn hyn, yn Drefach y dewison ni fyw. Ond buodd raid i fi ymladd i ga'l y Cyngor i gydnabod 'nny... ac mae honno'n stori hir. Ro'n ni'n dau isie aros yn yr ardal ac fe fuon ni'n chwilio am dipyn cyn penderfynu prynu hen feudy, odd mewn cyflwr eitha gwael ar y pryd. Ar ôl rhyw flwyddyn o waith caled gan wahanol bobol rodd y tŷ yn barod ar ein cyfer. Fe ffindon ni, ar ôl symud yno, ein bod ni wedi ca'l cyfeiriad a chôd post odd yn ein rhoi ni ym Mhontyberem. Ond, yn eironig, yn Drefach rodd y tŷ drws nesa, yn ôl Swyddfa'r Post. Mae'r dyfarnwr Nigel Owens, sy'n byw ym Mhontyberem, ond yn frodor o Mynyddcerrig, yn honni taw gelyniaeth draddodiadol rhwng pobol y Tymbl a phobol Pontyberem ro'n i'n gwrthwynebu ca'l 'y ngosod yn un o bobol y Bont. Celwydd noeth! Y cyfan ro'n i am neud yn siŵr odd bod Swyddfa'r Post yn gyson yn y ffordd ro'n nhw'n penderfynu ym mha bentre rodd rhywun yn byw.

Ma'r atgofion sy 'da fi o 'magwraeth a 'mhlentyndod yn y Tymbl yn rhai hapus dros ben. O edrych yn ôl nawr dwi'n ca'l yr argraff taw'r cyfan ro'n ni'n arfer neud yn blant odd chware trwy'r dydd a phob dydd. Yn sicr, rodd chware yn hollbwysig i fi. Bob cyfle byddwn i'n ga'l, lan â fi i'r parc ynghanol y pentre – canolbwynt i gymaint o weithgaredde hamdden i blant ac oedolion. Yno rodd pencadlys y Clwb Rygbi, a bydde'r clwb criced lleol yn Drefach yn atyniad mawr arall. Pan o'n i'n blentyn bach rodd Dad yn chware i'r tîm rygbi ac fe fyddwn i'n mynd i'r gême cartre yn rheolaidd. Ond yr uchafbwynt i fi bryd 'nny odd ca'l ishte wrth ochr Dad yn y clwb ar ôl y gêm i ga'l ffagots a pys!

Er bod athrawon caredig ac ardderchog yn Ysgol y Tymbl, fel Alban Rees, dodd y gwersi ddim yn apelio llawer ata i. Ro'n i'n joio ambell i weithgarwch y tu fas i'r stafell ddosbarth, fel dawnsio gwerin, ac fel ysgol fe geson ni dipyn o hwyl arni. Ro'n i'n aelod o'r parti dda'th yn gynta ar y ddawns werin yn Eisteddfod Genedlaethol yr Urdd yn Rhuthun. Ond ches i eriod 'y newis i fod yn aelod o gôr yr ysgol achos do's dim siâp canu arna i o gwbwl. Bydde rhai o'n ffrindie i'n dweud bod 'da fi lais sy'n swno fel colsyn o dan ddrws!

Yr hyn ro'n i'n lico'i neud fwya yn yr ysgol odd chware â phêl – rygbi, fel arfer – ac rodd tîm bach da 'da ni odd yn gallu cystadlu'n deg ag ysgolion erill yr ardal. A dweud y gwir ro'n i wrth 'y modd ag unrhyw gêm odd yn golygu chware â phêl. Bydde llawer o blant yn lico ca'l gême bwrdd yn anrhegion Dolig neu ben-blwydd. Ond nid fi. Pêl, neu fat criced, neu ffon golff, neu racet denis ro'n i eu hisie wastad. Ar adege penodol o'r flwyddyn bydde mynd mawr ar y gême hyn ar y teledu ac am rai wythnose bob blwyddyn, byddwn i'n esgus bod yn John McEnroe neu'n Ian Botham lawr yn y parc.

Ar iard yr ysgol fe fydden ni weithe yn chware pêl-dro'd, er taw rygbi odd y brif gêm o bell ffordd. Ro'n i'n hoff iawn o bêl-dro'd ac yn ffan mawr o dîm Lerpwl. Un o'r atgofion melysa sy 'da fi yw ca'l mynd i Anfield gyda Mam a Dad, ar 'y mhen-blwydd yn chwech oed, i weld Lerpwl yn chware Spurs. Yn anffodus, dodd y diwrnod ddim yn fêl i gyd achos fe gollodd y Cochion, 2–1, ac fe ffaelodd fy arwr mawr i, Kenny Dalgleish â sgori ar ôl ennill cic o'r smotyn. Ond dwi'n dal i'w cefnogi nhw hyd heddi.

Pan o'n i'n rhyw saith oed fe ddechreues i chware rygbi i dîm y Tymbl ar gyfer y grŵp oedran hwnnw. Fe fydde'r gême'n cael eu cynnal ar fore dydd Sul ac rodd ca'l mynd mewn bỳs i chware yn erbyn clybie erill yn antur fawr. Bryd 'nny, fe fydde bois yn dod i chware i'r Tymbl o bob man yng Nghwm Gwendraeth, o bentrefi fel Pontyberem a Carwe, gan taw dim ond yng Nghlwb y Tymbl rodd darpariaeth ar gyfer crots bach. Ro'n i'n fach iawn o ran seis, yn llai na phawb arall, wedyn safle'r mewnwr odd yn 'yn siwto i ore. A man'na dwi wedi bod yn chware byth ers 'nny.

Bues i'n chware i'r Tymbl trwy'r grwpie oedran gwahanol am rai blynydde. Pan o'n i yn 'y mlwyddyn ola yn yr ysgol gynradd fe ges i 'newis i gynrychioli ysgolion cynradd Mynydd Mawr, odd yn cynnwys bechgyn o'r holl ysgolion cynradd rhwng Cross Hands a Chwm Gwendraeth a rhwng ardal Gorslas a Chydweli. Dim ond tri ohonon ni yn y sgwad odd yn mynd i Ysgol y Tymbl a'r tymor hwnnw fe chwaraeon ni yn erbyn nifer o ranbarthe erill yng Nghymru mewn cystadleuaeth gwpan, gan gyrradd y rownd gyn-derfynol. Fe fydde'r ffeinal y flwyddyn honno'n ca'l ei chynnal yn y Stadiwm Genedlaethol, cyn rownd derfynol y Cwpan Schweppes ar gyfer y time mawr. Felly, rodd 'na edrych mlan taer at gyrradd y garreg filltir honno, ond colli nethon ni, 12–0, yn erbyn ysgolion cynradd Rhanbarth Pontypridd, ac fe na'th Michael Owen, a fu'n chware rhif 8 i Gymru am rai blynydde wedyn, sgori tri chais i'r gwrthwynebwyr. A dweud y gwir, rodd e bron yr un seis bryd 'nny ag odd e pan chwaraeai ar y lefel ucha!

Yn ystod y cyfnod yma ro'n i'n un o gefnogwyr brwd y Scarlets. Bydde Dad yn mynd â fi i'w gweld nhw'n chware gartre yn amal ac rodd y drefen ar ddiwrnod gêm yr un peth bob tro. Fe fydden ni'n dala bỳs o'r pentre i Lanelli, ca'l tsips i gino yng nghaffi'r Savoy ac yna cerdded draw i'r Strade gyda Dad – fe yn ei brasgamu hi a 'nghoese bach byr i'n ymladd yn galed i drio cadw lan ag e. Dwi'n cofio'r flwyddyn 1992 yn arbennig, achos rodd Mam-gu wedi prynu tocyn tymor i fi ac fe gyflawnodd y Scarlets y *treble*, sef ennill y Gynghrair, y Cwpan a maeddu Awstralia. Ro'n i wedi ca'l modd i fyw.

Pan dda'th hi'n amser symud mlan o Ysgol Gynradd y Tymbl i'r ysgol uwchradd leol rodd dau ddewis 'da ni'r disgyblion. Naill ai mynd i Ysgol y Gwendraeth, lle rodd yr addysg yn ca'l ei chyflwyno trwy gyfrwng y Saesneg, neu i Ysgol Maes Yr Yrfa, lle bydden nhw'n ein dysgu ni trwy gyfrwng y Gymraeg. Dodd dim angen llawer o waith meddwl yn 'yn achos i, gan ei fod e wedi'i benderfynu'n awtomatig taw i Maes Yr Yrfa y byddwn i'n mynd. Ond er syndod mawr, mas o ddosbarth o ryw 25 o ddisgyblion Ysgol y Tymbl, dim ond rhyw 5 ohonon ni ddewisodd fynd i Maes Yr Yrfa.

I lawer o blant, ma symud i ysgol uwchradd yn gallu bod yn amser digon trawmatig, ond nid i fi. Ro'n i wrth 'y modd yn Ysgol Maes Yr Yrfa, er 'mod i'n llai na phawb arall pan ddechreues i 'na. O'r dechre'n deg, heblaw am y gwersi Ffrangeg, do'n i ddim yn rhy hoff o'r pyncie academaidd, ond ces i 'nenu at waith mwy ymarferol, yn y labordai ac ym maes dylunio a thechnoleg. Ac ro'n i'n dal i ga'l tipyn o bleser gyda'r partïon dawnsio gwerin. Ond do's dim dwywaith taw'r un peth odd yn apelio ata i'n fwy na dim byd arall yn y cyfnod 'nny odd y sylw fydde'n ca'l ei roi i rygbi yn yr ysgol.

Am flynydde, yn ystod yr wythnos, ro'n i'n joio chware i'r ysgol yn y gwahanol grwpie oedran yn erbyn ysgolion erill, ac yna i dîm y Tymbl ar fore Sul. Yr un chwaraewyr odd yn y ddau dîm mewn gwirionedd a'r hyn odd yn ychwanegu at y pleser odd bod 'da ni bob amser dîm da iawn, fel arfer yr un gore yn yr ardal – er bod tîm Ysgol y Strade yn eitha da hefyd! Rodd llawer o'r diolch am hyn yn ddyledus i'n hathro chwaraeon, y diweddar John Beynon, a gafodd ddylanwad mawr arna i fel person ac fel chwaraewr rygbi. Ar wahân i fod yn athro penigamp rodd e'n ddyn gyda'r ffeina y gallech chi ei ga'l. Ar ddiwrnod ei angladd ro'n i'n ei hystyried hi'n fraint fawr ca'l bod yn un o'r rhai odd yn cario'r arch.

Da'th cyfle i fi gynrychioli ysgolion Mynydd Mawr unwaith eto, y tro hwn yn y tîm dan 15 oed. Rodd honno'n dalcen caled. Dim ond dwy ysgol odd 'na yn y rhanbarth i ddarparu chwaraewyr ar gyfer y tîm, sef ein hysgol ni ac Ysgol y Gwendraeth, ac yn y flwyddyn arbennig honno rodd pob un o'r tîm ond un yn dod o Ysgol Maes Yr Yrfa. Rodd mantais fawr gan ranbarthe fel Caerdydd, odd yn gallu tynnu ar chwaraewyr o ryw 30 ysgol i chware yn ein herbyn ni. Yn ystod y tymor hwnnw fe gollon ni unwaith eto mewn cystadleuaeth gwpan, i Ranbarth Pontypridd, a'r tro hwnnw rodd Michael Owen wedi ca'l Gethin Jenkins i'w helpu fe!

Yn y cyfnod hwn fe ges i 'newis i dîm Sir Dyfed dan 15 oed yn erbyn rhai o siroedd erill Cymru, mewn gême odd yn ca'l eu cyfrif fel treialon answyddogol ar gyfer tîm Cymru dan 16. Fe fues i'n chware yn ddiweddarach i dîm Dyfed yr adeg honno, gyda bois fel Phil John, Tal Selley a Gareth ac

Aled Gravelle, ac a'th y pump ohonon ni mlan i chware i dîm Llanelli. Cyn dechre'r tymor wedyn fe gynhaliwyd wythnos o dreialon yng Nghaerdydd gyda'r bwriad o baratoi'r ffordd ar gyfer dewis tîm Cymru dan 16 oed ar gyfer y flwyddyn odd i ddod. Rodd hi'n wythnos arbennig o galed a ninne'r chwaraewyr wrthi ar y cae o fore gwyn tan nos. Rodd dau fewnwr arall yn gobeitho neud argraff ar y dewiswyr, sef Ceri Macdonald ac Andrew Williams, a a'th mlan i ymuno â'r Gweilch ma's o law. Pan dda'th hi'n amser cynnal y treial terfynol ar gyfer y tîm cenedlaethol ar Barc y Strade, ro'n i wrth 'y modd i ga'l 'y newis ar gyfer y Tîm Tebygol i chware yn erbyn y Tîm Posibl.

Ro'n i ar dân isie cynrychioli 'ngwlad ac, yn wir, dyna ddigwyddodd, a finne'n ca'l chware yn y ddwy gêm odd gan dîm Cymru dan 16 oed y tymor hwnnw – yn erbyn Portiwgal yn Lisbon ac yn erbyn Lloegr ar Gae'r Bragdy ym Mhen-y-bont. Fe enillon ni'r ddwy gêm ac rodd hi'n deimlad ffantastig ca'l gwisgo'r crys coch ar y cae. Rodd cwmni Reebok yn ein noddi ni, ac yn darparu'r gêr fydde'u hangen arnon ni i chware ac i ymarfer, a'r dillad y bydden ni'n eu gwisgo oddi ar y cae, odd yn neud i ni deimlo'n sbesial iawn. Peth arall na'th i fi deimlo'n browd iawn odd bod llun swyddogol ohono i, yn gwisgo cap a chrys Cymru, wedi ca'l ei roi ar y wal yn yr ysgol, y diweddara ymhlith nifer o sêr Maes Yr Yrfa odd wedi cynrychioli eu gwlad – mewn rygbi ac athlete yn benna. Rodd un llun arall ohona i'n gwisgo 'nghap a 'nghrys coch yr adeg honno ac ma Mam wedi bachu hwnnw er mwyn ei ddangos e yn y tŷ. Yr hyn a'm synnodd i odd taw dim ond tri mas o'r pymtheg ohonon ni a gafodd ein dewis dros Gymru dan 16 ar gyfer y ddwy gêm honno, a'th mlan i chware rygbi ar y lefel ucha yng Nghymru, sef fi, Michael Owen a Kevin James, a fu yn nhîm Castell Nedd am dipyn. Fe lithrodd y gweddill drwy'r rhwyd fel petai.

Es i mlan wedyn i chware yn rheolaidd i dîm yr ysgol yng Nghyngrair Lloyds TSB dan 18 oed. Yn 'y mlwyddyn gynta gyda thîm Cymru ar y lefel honno, a finne yn nosbarth 6(i), ar y fainc bues i fwya, achos rodd 'na fewnwr da o Gaerdydd, Ryan Powell, yn 'y nghadw i mas o'r tîm. Fe a'th e mlan i chware dros Gleision Caerdydd a Chymru cyn symud dros y ffin i Gaerwrangon ac yna Northampton, ond yn anffodus buodd yn rhaid iddo ymddeol o'r gêm y llynedd oherwydd anaf drwg i'w wddwg. Y maswr bryd 'nny odd Luke Richards, o ardal Castell Nedd, odd wedi'n rhacso ni'n amal wrth gynrychioli Gorllewin Morgannwg yn erbyn Dyfed yn gynharach y tymor hwnnw. Yn sicr, fe o'dd y chwarewr gore yn yr oedran dan 18 ac er iddo fynd mlan i chware i Gastell Nedd fe ffaelodd neud ei farc ar y lefel ucha, oherwydd ei fod e braidd yn fach falle.

Yn 'yn ail flwyddyn i yn y chweched dosbarth fe ges i'n neud yn gapten ar dîm Cymru dan 18. Erbyn 'nny, bachgen o'r enw Llŷr Lane, o Ysgol y Strade, odd yn cystadlu â fi am safle'r mewnwr. A'th e mlan i gynrychioli Ieuenctid Llanelli ac yna Ieuenctid Casnewydd gan chware ychydig o weithe i dîm Casnewydd. Y ddau odd yn brwydro am safle'r maswr yn y tîm o dan 18 odd Mathew Davies o'r Strade a Gethin Wogan o Lanharri. Er bod 'da ni dîm da bryd 'nny, odd yn cynnwys Gethin Jenkins, Michael Owen a Matthew Rees, fe gethon ni dymor digon siomedig. Yr uchafbwynt i fi odd gêm gofiadwy yn erbyn bechgyn Awstralia, ym Mhen-y-bont. Seren y gêm, yn ddi-os, odd eu rhif wyth nhw, crwt o'r enw George Smith, ac ry'n ni i gyd yn gwbod shwt y datblygodd e. Awstralia enillodd y gêm, o ryw 40 pwynt, diolch i radde helaeth iddo fe.

Pan o'n i'n 16 oed, ar ôl i fi chware rhywfaint i dîm ieuenctid y Tymbl, fe ofynnwyd i fi ymuno â thîm Ieuenctid Clwb Rygbi Llanelli yng Nghynghrair Rhanbarth Llanelli i rai dan 19 oed – tîm y buodd Dad yn chware iddo yn ei ieuenctid. Rodd safon eu gêm nhw dipyn yn uwch ac fe fydden nhw'n chware'n rheolaidd yn erbyn time ieuenctid clybie fel Northampton a Chaerlŷr. Ro'n i eisoes wedi derbyn gwahoddiad i fynd i ymarfer gyda thîm Ieuenctid Caerdydd ac fe es i lan 'na gwpwl o weithe. Ro'n i'n dibynnu ar Mam i fynd â fi yno yn y car ond, gan ei bod hi'n gweitho bob dydd, fydde hi ddim yn gyfleus iddi deithio yno bob amser. Felly, penderfynes anghofio am Glwb Caerdydd a dodd hynny ddim yn siom fawr, achos yng Nghlwb Llanelli odd 'y nghalon i beth bynnag.

Er 'mod i erbyn 'nny wedi dechre llenwi mas a thyfu'n dalach, ro'n i'n ffindo bod y gêm ieuenctid yn eitha caled a bod chware yn erbyn bois odd weithe tua dwy flynedd yn henach na fi yn gam mawr. Ond ro'n i'n joio bod yn aelod o dîm Ieuenctid Llanelli odd yn cynnwys, ar y pryd, bois fel Dai Jones, Adrian Chiffly, Chris Hughes, Dafydd Jones, Tal Selley, Phil John ac yna Mark Jones. Rodd rhyw 12 ohonyn nhw wedi cynrychioli Cymru ar ryw lefel ac ambell un, fel Daniel Rogers, wedi chware i dîm cynta'r Scarlets. Yn ogystal â'r pleser ro'n i'n ei ga'l ar y cae ro'n i wrth fy modd, yn fachan ifanc, yn ca'l ei lordo hi ar hyd y dre ar nos Sadwrn yng nghwmni'r chwaraewyr erill, yn gwisgo blazer Tîm Ieuenctid Clwb Rygbi Llanelli, gan deimlo'n sbesial iawn!

Pan ymunes i â'r tîm fe fydden ni'n ymarfer ar nos Fawrth a nos Iau. Ar y dechre fydden ni'n gweld dim ar chwaraewyr y tîm cynta, gan y bydden nhw, yn yr oes broffesiynol bellach, yn tueddu ymarfer yn ystod y dydd. Ond tua diwedd y flwyddyn gynta honno fe ges i wahoddiad i ymuno â nhw ar gyfer ambell sesiwn. Do'n i ddim yn gallu credu'r peth ar y pryd sef 'mod i, crwt ysgol yn 'y mlwyddyn gynta yn y chweched dosbarth, yn ca'l ymarfer gyda rhai o'm harwyr, fel Rupert Moon, Wayne Proctor, Neil Boobyer a Garan Evans, ac ambell seren arall fel Frano Bottica. Ar ôl y Nadolig fe ges i 'ngwadd i ymarfer gyda'r tîm cynta rhyw unwaith yr wythnos gan elwa'n fawr o'r hyfforddiant gan Gareth Jenkins a Nigel Davies yn y sesiyne 'nny.

Ar ddiwedd y tymor hwnnw fe chwaraeais i dîm Cymru yng Nghystadleuaeth Cwpan y Byd dan 19 oed, a'r gystadleuaeth yn cael ei chynnal yng Nghymru o flaen torfeydd parchus iawn ar gaeau y Strade, y Gnoll a Chae'r Bragdy ym Mhen-y-bont. Fe nethon ni'n dda iawn, gan faeddu Lloegr, yr Ariannin a De Affrica ar ein ffordd i'r rownd derfynol yn erbyn Seland Newydd. Er i ni golli'r gêm honno, yn erbyn bois fel Richie McCaw, Jerry Collins, Aaron Mauger, Carl Hayman a Tony Woodcock, odd bryd 'nny yn gewri o ran eu seis, rodd y profiad yn un gwerthfawr dros ben.

Wrth gwrs, ro'n i'n dal yn yr ysgol ac er nad o'n i'r bachan mwya galluog ro'n i'n gweitho'n eitha caled ac fe fues i'n astudio Daearyddiaeth, Bioleg a Chwaraeon a gyfer Lefel A. Gydag ychydig bach mwy o ymroddiad, gallwn i falle fod wedi dewis Ffrangeg fel un o'r tri phwnc. Mae'n debyg taw mewn Daearyddiaeth ro'n i'n neud ore, achos bod 'da ni athrawes wych o'r enw Sian Ifans ac, ar ôl llwyddo yn yr arholiade Lefel A yn y tri phwnc, es i Brifysgol Abertawe gyda'r bwriad o astudio Daearyddiaeth. Ar un adeg bues i'n ystyried mynd i Brifysgol Caerdydd ond ro'n i'n gweld y galle 'nny fod yn broblem, a finne isie ymarfer a chware gyda Llanelli.

3

Setlo ar y Strade

YN YSTOD MIS Awst 1999 fe arwyddes i 'nghytundeb cynta fel chwaraewr proffesiynol gyda'r Scarlets, a hynny am flwyddyn. Dwi ddim yn cofio darllen y cytundeb – ro'n i mor falch o ga'l y cyfle fe 'nes i dorri'n enw ar waelod y ffurflen heb roi sylw i'r telere a gâi eu cynnig i fi. Dwi'n cofio i fi ga'l cytundeb mwy ffafriol y flwyddyn wedyn ac o 'nny mlan fe fydde pethe'n gwella o flwyddyn i flwyddyn, odd yn golygu 'mod i'n ennill bywoliaeth dda. Fel chwaraewr proffesiynol y flwyddyn gynta honno, fe ges i gar wedi'i noddi gan Garej Raymond ym Mhontyberem, felly ro'n i'n mynd i'r coleg yn Abertawe yr hydref hwnnw gydag arian yn 'y mhoced a phedair olwyn i gario fi fan hyn a fan draw. Ro'n i'n meddwl bo' fi'n rhywun sbesial! Bues i'n byw yn Abertawe yn ystod y flwyddyn gynta honno ac er 'mod i'n dala 'nhir o ran y gwaith academaidd rodd trio neud amser i ymarfer a chware i Glwb Llanelli yn anodd iawn. Ychydig iawn o fywyd cymdeithasol y coleg ces i gyfle i'w fwynhau. Erbyn bo' fi wedi cyrradd 'nôl o'r sesiyne ymarfer a cha'l swper, ro'n i wedi blino gormod fel arfer i feddwl am fynd mas.

Tra o'n i ar 'yn ail flwyddyn, ro'n i'n hala llai fyth o amser ar y campws gan 'mod i wedi symud 'nôl gartre er mwyn neud pethe'n haws i gyrradd y Strade. Rodd galwade rygbi yn golygu hefyd bod rhaid i fi golli ambell ddarlith ac rodd gofyn sicrhau amser i drio dala lan â gweddill y dosbarth.

Fe lwyddes i basio'r arholiade ar ddiwedd yr ail flwyddyn ond ro'n i'n gwbod erbyn 'nny na allwn i ddal ati fel ro'n i. Bydde blwyddyn gradd yn gofyn am sylw cant y cant i'r cwrs, rhywbeth na allwn i roi os o'n i am fod yn chwaraewr rygbi proffesiynol.

Erbyn 'nny, ro'n i yng ngharfan tîm cynta Llanelli bob wythnos a bellach rodd disgwyl i fi ymarfer ddwywaith y diwrnod ar ddydd Llun, Mawrth ac Iau ac unwaith ar ddydd Gwener. O dan yr amgylchiadau fe fu'n rhaid i fi ddweud wrth y coleg 'mod i'n rhoi'r gore i'r cwrs, er 'mod i'n teimlo'n ddigalon wrth neud 'nny. Fe fuon nhw'n dda iawn wrtha i, chware teg, gan bwysleisio y bydde croeso i fi ailafel ynddi yn y dyfodol petawn i'n teimlo fel neud 'nny. Er nad oes 'da fi syniad ar hyn o bryd beth dwi isie neud ar ôl gorffen chware rygbi dwi'n meddwl weithe y byddwn i'n lico mynd 'nôl i'r coleg i astudio rhyw faes academaidd... ond nid Daearyddiaeth, achos ma'r maes hwnnw wedi newid gormod erbyn hyn i fi allu ailgydio ynddo.

Fe chwaraees i am y tro cynta i dîm Llanelli yn ystod haf 1999 a finne newydd adel yr ysgol yn 17 mlwydd oed. Gêm ar y Strade yn erbyn Caerlŷr odd hi, i baratoi ar gyfer y tymor odd i ddod, gyda bois fel Lewis Moody a Pat Howard yn nhîm yr ymwelwyr. Ro'n i'n teimlo mor browd wrth wisgo crys y Scarlets ond y trueni mawr odd bod Mam a Dad bant ar eu gwyliau ar y pryd ond da'th Tad-cu yno fel prif gynrychiolydd y teulu. Yn fuan wedyn fe ges i 'newis i chware yn erbyn Hendy-gwyn a dwi'n credu 'mod i wedi neud yn eitha da yn y ddwy gêm 'nny.

Y peth anodda i ddod i arfer ag e odd y ffaith fod y gêm ar y lefel hyn mor gorfforol, a finne'n un bach, eiddil odd yn pwyso ond rhyw un stôn ar ddeg. Ochr yn ochr â fi yn y tîm rodd 'na gewri fel Scott Quinnell, Dave Hodges, Chris Wyatt, Martyn Madden a Salesi Finau. Ond do'n

i ddim chwaith yn teimlo bod cystadlu â bois mawr ar
y cae yn drech na fi. Ro'n i'n ei weld e fel sialens, ac yn
mwynhau 'nny. A finne mor ifanc a diniwed bydde'r bois
erill yn tynnu 'nghoes i, a Robin McBryde ac Ian Boobyer
yn amal yn arwain y ffordd. Ond ro'n i wrth 'y modd yn eu
canol nhw ac yn gwerthfawrogi'r ysbryd cyfeillgar, hwyliog
odd yn bodoli yn stafell newid y Strade.

Yn ystod y tymor cynta, rodd Rupert Moon, Patrick
Horgan a finne'n cystadlu am safle'r mewnwr. Ches i ddim
llawer mwy o gême yn ystod yr wythnose nesa, ond ro'n i yn
y garfan yn amal ac yn ymarfer gyda'r tîm yn rheolaidd. Ar
yr adege pan nad odd 'yn angen i ar y tîm cynta fe fyddwn
i'n chware i'r tîm dan 21 a hefyd i'r tîm dan 19, felly ro'n i'n
ca'l digon o gyfle i chware rygbi bob wythnos. Tua diwedd y
tymor fe a'th Patrick Horgan i glwb Castell Nedd ar fenthyg
gan nad odd e'n teimlo ei fod e'n ca'l digon o gême yn nhîm
cynta'r Scarlets. Fel y digwyddodd hi, o'r adeg honno mlan,
fe ddechreuodd Rupert ga'l trafferth ag anafiadau, odd yn
golygu i fi ga'l cyfle i chware rhyw bedair neu bump gêm i'r
tîm cynta.

Rodd 2000 yn flwyddyn dda iawn i'r Scarlets, a'r clwb yn
colli 28–31 i Northampton yn rownd gyn-derfynol y Cwpan
Heineken. Erbyn y gêm honno rodd Patrick Horgan wedi
dod 'nôl o Gastell Nedd, felly fe odd y dewis cynta i chware
mewnwr ac fe golles i'n lle yn y garfan. Ro'n i'n siomedig
iawn ar y pryd, yn enwedig falle gan bo' fi ddim wedi ca'l
gair o gysur nac eglurhad gan unrhyw un o swyddogion y
clwb. Ond rodd yn rhaid i fi dderbyn taw fel 'na rodd hi i
fod yn achos chwaraewr ifanc, dibrofiad fel fi. A'th Llanelli
mlan i ennill Cwpan Cymru yn erbyn Abertawe yn Stadiwm
y Mileniwm ac ro'n i'n browd iawn o ga'l lle ar y fainc ar
gyfer y gêm honno, yn enwedig o gofio taw o'r teras ym
Mharc Ninian, yng nghwmni ffrindie o dîm Ieuenctid
Llanelli y gweles i'r Scarlets yn chware yn y rownd derfynol

y flwyddyn cynt. Felly, ro'n i'n teimlo'n bwysicach o lawer erbyn yr ail ffeinal.

Ro'n i eisoes wedi dod i sylwi bod tipyn o wahaniaeth yn safon y gwahanol gême ro'n i'n eu chware dros Lanelli. Fe fydden ni fel arfer yn ennill yn erbyn time fel Cross Keys, Aberafan neu'r Dyfnant heb lawer o drafferth. Bryd 'nny hefyd fe fydden ni'n ca'l buddugoliaeth weddol hawdd, gan amla, pan fydden ni'n chware gartre yn erbyn time o'r Alban yng Nghynghrair Cymru a'r Alban, er ei bod hi'n stori wahanol pan fydden ni'n chware bant yn eu herbyn nhw. Ond o'r ychydig brofiad ges i o gystadleuaeth Cwpan Heineken des i sylweddoli'n gynnar iawn fod y gême 'nny'n llawer caletach na'r gweddill.

Yn gynharach y tymor hwnnw fe chwaraees i dros Gymru yng Nghystadleuaeth Cwpan y Byd dan 19 mas yn Ffrainc. Fe nethon ni'n dda iawn gan ddod yn drydydd ar ôl colli, unwaith eto i Seland Newydd, y tro hwnnw yn y rownd gyn-derfynol. Erbyn hyn rodd Graham Henry wedi ca'l ei benodi'n hyfforddwr y tîm cenedlaethol, a da'th e mas i Ffrainc i weld y gêm honno yn erbyn y Crysau Duon. Da'th e ata i ar ôl y gêm a dweud bo' fi wedi neud yn dda iawn ond gan egluro hefyd nad odd e'n meddwl y byddwn i'n ca'l 'y newis i fynd i Ganada yr haf hwnnw gyda Thîm Datblygu Cymru. Fe esboniodd bod mewnwyr fel Richard Smith, Gareth Cooper a Ryan Powell, odd yn chware'n gyson gyda'u clybie ar y lefel ucha, yn debycach o ennill eu lle ar y daith honno. Fel y digwyddodd hi, fe gafodd Richard Smith ei anafu'n gynnar yn ystod y daith ac fe ges i 'ngalw mas yno.

Rodd y tîm dan ofal dau hyfforddwr galluog, sef Lyn Howells a Geraint John, gyda Graham Henry yn cadw llygad ar y cyfan o bell, fel petai. Ro'n i wedi ca'l cyfle i ddod i nabod Graham ychydig yn well na gweddill y tîm falle, achos fe deithiodd y ddau ohonon ni i Ganada gyda'n gilydd, beth amser wedi i weddill y garfan gyrradd yno.

Rodd eistedd wrth ochr 'Y Duw' am orie ar yr awyren yn dipyn o brofiad i grwt 18 oed! Ond rodd e'n gwmni diddorol ac fe edrychodd ar 'yn ôl i'n dda iawn. Alla i ddim diolch digon iddo am roi shwd gyfle i fi'n gynnar yn 'y ngyrfa ac am 'y ngosod i ar lwybr cyflym tuag at y safon uchaf un. Fe fuodd e'n gefnogol iawn i fi bob amser a hyd yn oed ar yr adege 'nny pan fues i'n chware yn erbyn Seland Newydd, rodd e'n barod iawn i 'nghanmol i os o'n i wedi ca'l gêm dda.

Erbyn i fi hedfan mas i Ganada roedd y Tîm Datblygu eisoes wedi chware dwy gêm ac oherwydd bod Ryan Powell hefyd wedi dioddef anaf, Gareth Cooper odd yr unig fewnwr holliach yn y garfan. Felly, y diwrnod ar ôl i fi gyrradd, ro'n i ar y fainc ar gyfer y gêm yn erbyn Canada A, sef y tîm caleta y bydden ni'n chware ar y daith ac fe ges i fynd ar y cae am y chwarter awr olaf, odd yn brofiad gwych. Gareth, a odd wedi bod yn chware i dîm Caerfaddon ers rhyw ddwy flynedd, odd y dewis cynta fel mewnwr ond oherwydd yr anafiade i Richard Smith a Ryan Powell, fe ges i chware dipyn mwy na nhw ar y daith, ac ro'n i'n bles iawn am 'nny.

Fe fuodd tipyn o feirniadu yn y wasg yng Nghymru bod y gême yn erbyn time fel British Columbia, Ontario ac Eastern Canada yn rhy hawdd ac nad o'n nhw'n rhoi digon o sialens i ni, chwaraewyr ifainc Cymru. Ond rhaid cofio nad odd y rhan fwya o'n chwaraewyr ni'n brofiadol o gwbwl ar y llwyfan rhyngwladol. Pedwar chwaraewr yn y garfan yn unig odd wedi ennill cap llawn, sef Matt Cardey, Richard Smith, Shane Williams a Chris Anthony. Ond fe chwaraeon ni'n ardderchog mas 'na, a na'th hynny i ni deimlo y gallen ni fod wedi herio time llawer cryfach.

Rodd y daith yn llwyddiant mawr ac ma llawer o'r chwaraewyr odd arni yn dal i sôn amdani fel un o'r teithie gore a gethon nhw eriod. Rodd 'na dipyn o gymdeithasu ac rodd hi'n debyg i deithie tramor time rygbi slawer dydd.

Ar yr un pryd rodd pawb yn gwbod na allen nhw gymryd mantais o'r rhyddid odd 'da ni i fwynhau ein hunain. Ond rodd un digwyddiad anffodus. Fel arfer, dodd neb yn ca'l mynd mas am beint y nosweth cyn gêm ond fe gafodd y rheol hon ei thorri gan yr wythwr Hywel Jenkins, o glwb Abertawe ar y pryd, cyn y gêm yn erbyn Canada A, ac fe gafodd ei hala gartre gan y tîm rheoli.

Un arall o blesere'r daith odd bod cymaint i'w weld yng Nghanada. Rodd ca'l mwynhau'r golygfeydd mewn ardaloedd fel Calgary a Toronto yn fythgofiadwy ac ro'n i'n falch iawn o ga'l y cyfle i ailadrodd y profiad pan es i 'nôl i Ganada gyda thîm Cymru flynydde wedyn. Dwi wedi ymddiddori eriod yn yr hyn sydd 'da gwledydd gwahanol y byd i gynnig a phe na bawn i wedi penderfynu mynd yn chwaraewr rygbi proffesiynol, ma'n bosib y byddwn wedi graddio mewn Daearyddiaeth ym Mhrifysgol Abertawe a cha'l swydd yn y maes hwnnw. Dwi'n gwerthfawrogi'n fawr bod rygbi wedi caniatáu i fi ymweld â sawl rhan o'r byd na fyddwn i fel arall wedi ca'l y cyfle i'w mwynhau.

Fe ges i 'newis rai misoedd wedyn i gynrychioli'r Tîm Datblygu yn erbyn Unol Daleithiau America ar y Gnoll, yng nghwmni rhai o sêr y dyfodol, fel Gavin Henson, Craig Quinnell a Geraint Lewis. Ond braidd yn siomedig odd tymor 2000–01 i'r Scarlets, gan i ni ffaelu mynd ymhellach na'r rowndie rhagbrofol yng nghystadleuaeth Cwpan Heineken, a finne wedi treulio tipyn o amser ar y fainc. Ond fe dda'th yr anrhydedd mwya eto i'm rhan i ar ddiwedd y tymor hwnnw. Yn ystod yr haf fe a'th y Llewod, odd yn cynnwys Rob Howley yn eu carfan, ar daith i Awstralia. O ganlyniad fe ges i, Gareth Cooper a Ryan Powell ein dewis i fynd gyda thîm Cymru i Siapan. O styried cyn lleied o brofiad ro'n i wedi'i ga'l ar y lefel ucha rodd e'n gyfle anhygoel i fi.

Chwaraeon ni 5 gêm mas 'na, gan gynnwys dau Brawf. Pan gyrhaeddon ni Tokyo fe gethon ni ein cludo'n syth i wersyll ymarfer y tu fas i'r ddinas. Yn ogystal â theimlo'n flinedig rodd hi'n anodd arfer â'r gwres, odd dros 90°F. Felly do'n ni ddim ar ein gore o bell ffordd yn y gêm gynta yn erbyn Sentory, a cholli nethon ni. Fe gollon ni eto yn nes mlan, 36–16, yn erbyn tîm Barbariaid y Môr Tawel, a finne'n cael 'y newis ar gyfer y gêm honno. Eto, arwydd o ba mor brofiadol odd y tîm hwnnw odd y ffaith taw Graeme Bachop odd eu maswr nhw (er ei fod e falle'n fwy adnabyddus fel mewnwr) ac ynte wedi chware 31 o weithe dros y Crysau Duon. Yn 1995, Bachop gafodd ei ddewis fel hanerwr gore Cwpan y Byd ond yn 1999 chwaraeodd i Siapan yn y gystadleuaeth gan iddo setlo yn y wlad honno tua diwedd ei yrfa.

Fe enillon ni'r ddau Brawf yn gyfforddus ac er taw ar y fainc ro'n i, fe ges i ddod i'r cae ar gyfer yr ail, yn bartner i Stephen Jones, i ennill 'y nghap cynta. Profiad ffantastig i fi ac i Tom Shanklin, a odd hefyd yn cynrychioli'i wlad am y tro cynta. Byth ers y diwrnod hwnnw, ar bob un o'r 76 crys dwi wedi'u gwisgo wrth gynrychioli Cymru, mae'r rhif 994 wedi'i wnïo. Mae hynny'n dynodi taw fi odd y 994eg chwaraewr rygbi i gynrychioli fy ngwlad ac mae gan bob chwaraewr arall sy'n chware i Gymru ei rif arbennig wedi'i wnïo ar ei grys – arfer gafodd ei gyflwyno gan Steve Hansen. Mae nifer o 'nghrysau i wedi cael eu rhoi i Glwb Rygbi Tymbl, ac ambell un arall er mwyn codi arian at achos da, ond mae'r rhan fwya yn cael eu cadw yn nhŷ Mam a Dad. Dwi wedi neud pwynt o gadw'r pump crys rhif 9 ges i yn ystod Pencampwriaeth Chwe Gwlad 2005. Dyna pryd, wrth gwrs, enillon ni'r Gamp Lawn am y tro cynta ers 27 mlynedd ac mae'r cryse 'nny yn arbennig iawn.

Rodd y cyfleustere yn Siapan yn ardderchog a'r derbyniad gethon ni gan y torfeydd yn groesawgar iawn. Chawson ni fawr o gyfle i gymysgu â phobol y wlad gan ein bod ni'n aros mewn gwestai cadwyn fel Marriot, er mewn ambell ymweliad â rhai tai bwyta buodd yn rhaid parchu arferion brodorol, fel tynnu'n sgidie wrth fynd i mewn ac eistedd ar y llawr i fwyta'r bwyd. Ond dim sushi na saké i ni! Dodd gan y bois ddim llawer o brofiad o deithio'r byd felly ein tuedd ni fel carfan odd stico at fwydydd a diodydd mwy gorllewinol. O 'mhrofiad i, buodd tueddiad i fynd yn fwy mentrus wrth fynd yn henach!

Mae Siapan wrth gwrs yn enwog am ei theclynne electronig ac rodd llefydd fel Tokyo ac Osaka yn cynnwys 'dinasoedd' electronig oddi mewn i'r ddinas ei hun. Rodd pob math o offer ar werth yno, am brisie rhesymol iawn ac ro'n ni, fois y garfan, i gyd wedi dwlu arnyn nhw. Rodd ein bagie ni dipyn yn drymach yn mynd gartre. Rodd hi'n daith lwyddiannus ac rodd y ffaith 'mod i wedi ca'l rhannu llwyfan â sêr fel Alan Bateman, Gareth Thomas a Stephen Jones yn anodd 'i gredu. A finne mor ifanc a diniwed fe edrychodd pawb ar fy ôl i'n syndod o dda. Rodd hi'n arferiad i unrhyw un fydde'n ennill ei gap cynta ar y daith i ganu cân i weddill y garfan. Fe es i drwy'r broses boenus honno ond rodd cymaint o gywilydd arna i o 'ngwendid fel canwr fel y rhoddes i enw'r gân y gwnes i ei mwrdro y diwrnod hwnnw mas o 'meddwl yn llwyr! Ar ddiwedd y daith, rodd traddodiad ymhlith y bechgyn i brynu diod i'r sawl a enillodd ei gap cynta ac rodd disgwyl i hwnnw wrth gwrs yfed y ddiod ar ei thalcen bob tro. Dwi ddim yn cofio lot am yr achlysur hwnnw ond fe glywes i wedyn bod y bois wedi gofalu amdana i, gan neud yn siŵr nad odd gormod ohonyn nhw wedi mynd i'w pocedi!

4

Carfan Cymru

FE FU TYMOR 2001–2 yn un llwyddiannus, ond yn un anlwcus hefyd i'r Scarlets, a ninne'n colli eto yn rownd gyn-derfynol Cwpan Heineken, y tro hwn i Gaerlŷr. Erbyn hyn rodd Guy Easterby wedi ymuno â ni fel mewnwr ac, o'r herwydd, ar y fainc ro'n i yn y gêm honno ac yn y chwarteri, er i fi chware yn erbyn Perpignan, Calvisano a Glasgow yn y rowndie rhagbrofol. Unwaith eto ro'n i'n siomedig na ches i chware yn y gême pwysica ond, o edrych yn ôl, dwi'n gallu gweld 'mod i falle braidd yn ifanc ar y pryd a bod 'yn chware i heb ddatblygu i fod yn ddigon corfforol, yn bennaf oherwydd nad odd 'da fi gorff digon cadarn.

Rodd y profiad ro'n i wedi'i ga'l ar y lefel ryngwladol yn rhywbeth ro'n i am ei weld yn parhau. Ro'n i wrth 'y modd felly pan ges i 'newis i garfan Cymru yn ystod gême'r hydref. Yr hyn odd yn 'y mhlesio i yn fwy falle odd 'mod i erbyn 'nny, ma'n debyg, yn ca'l 'yn ystyried yn ail ddewis i Robert Howley, gan fod Gareth Cooper wedi ca'l anaf. Fe ges i ddod ar y cae fel eilydd yn erbyn Romania a Tonga, gême yr enillon ni'n weddol rhwydd, a finne'n chware'n eitha da. Er taw dim ond 20,000 o dorf odd yn Stadiwm y Mileniwm ar gyfer y gêm yn erbyn Romania, rodd y profiad o redeg ar y cae yn un gwefreiddiol ac yn gwireddu breuddwyd i fi. Do's dim dwywaith bod y Stadiwm gyda'r gore yn y byd ac yn golygu cymaint i bob cefnogwr rygbi yng Nghymru. Nod pob Cymro bach sy'n dechre chware rygbi, a finne unwaith yn un ohonyn nhw, yw ca'l chware yno.

Rodd canlyniade erill yr hydref, sef yn erbyn Iwerddon – gêm a gafodd ei gohirio'n wreiddiol oherwydd clwy'r traed a'r genau – yr Ariannin ac Awstralia yn siomedig. Rodd e'n gyfnod ansicr iawn, gan fod Graham Henry newydd ddychwelyd o fod yn hyfforddwr y Llewod, ac ynte wedi derbyn tipyn o feirniadaeth yn sgil y daith honno, ac yn destun dyfalu ynglŷn â'i ddyfodol fel hyfforddwr tîm Cymru. Ar ben 'nny rodd nifer o fois y garfan yn tynnu at ddiwedd eu gyrfa felly tîm eitha ansefydlog odd 'da ni ar y pryd.

Fe gafodd hynny falle ei danlinellu yn y gêm gynta ym Mhencampwriaeth y Chwe Gwlad yn 2002 pan gethon ni grasfa o 54 i 10 mas yn Nulyn. Ar ôl 50 munud yn y gêm honno, pan ddath Howley bant o'r cae wedi iddo ga'l cnoc ar ei ben, fe ges i fynd mlan yn ei le fe, a cha'l gêm fach nèt yn ôl y gwybodusion. Ar ôl y gêm honno, wrth gwrs, fe ymddiswyddodd Graham Henry, odd yn dipyn o sioc i ni'r chwaraewyr ar y pryd. Fe gymerodd Steve Hansen, odd eisoes wedi bod yn ei gynorthwyo ers rhai misoedd, yr awene, cyn ca'l ei benodi y mis Ebrill canlynol fel hyfforddwr Cymru.

Ches i mo'r fraint o weitho llawer gyda Graham Henry er bod 'y nyled yn fawr iawn iddo am roi cyfle i fi ar y lefel ryngwladol mor gynnar yn 'y ngyrfa. Byddwn i'n bersonol wedi lico elwa mwy o'i brofiad a'i weledigaeth e. Dwi ddim yn meddwl bod Cymru ar y pryd yn barod i dderbyn dullie Graham, gan ei fod e ar y blan i bawb arall o ran ei syniade. Fe fydde fe'n credu'n gryf mewn ca'l system drefnus o ddefnyddio *pods* penodol o chwaraewyr wrth yrru mlan yn y chware rhydd, ac o'r llinelle a'r sgrymie – system fydde yn naturiol wedi cymryd amser i'w pherffeithio. Rodd yr hyn rodd e'n trio neud yn effeithiol ond dodd y gyfundrefn yng Nghymru ddim yn ddigon hyblyg i dderbyn shwd ddatblygiade nac i roi amser iddyn nhw ddwyn ffrwyth. Erbyn i fi ddechre chware i Gymru dwi'n credu bod meddwl Graham ar bethe erill, fel penderfynu beth rodd e am neud ar ôl rhoi'r gore i'w waith gyda thîm Cymru. Ond yn y man fe ddethon ni i gyd i sylweddoli taw Graham Henry odd yr hyfforddwr gore yn y byd.

Rodd y bechgyn yn isel iawn ar ôl y perfformiad gwael yn erbyn Iwerddon yn 2002. Dwi'n cofio teimlo gwefr arbennig ym maes awyr Caerdydd cyn hedfan i Ddulyn ar gyfer y gêm honno. Oherwydd y tywydd drwg rodd ambell ffleit i Ddulyn wedi ca'l ei ohirio dros dro ac felly rodd y maes awyr yn berwi o gefnogwyr, a'r lle'n llawn bwrlwm a brwdfrydedd. Rodd 'na dipyn o siarso pryfoclyd a chynghorion hwyliog yn cael eu cyfeirio aton ni'r chwaraewyr ynglŷn â shwd odd mynd ati i sathru ar dîm Iwerddon.

Fe gethon ni brofiad hollol wahanol ym maes awyr Dulyn ar ôl y gêm. Dwi eriod wedi clywed cymaint o regfeydd yn cael eu poeri at chwaraewyr rygbi ag y clywson ni ar y ffordd gartre y dydd Sul hwnnw. Rodd y cefnogwyr mor grac 'da ni nes bod y chwaraewyr mwya profiadol yn y garfan yn ein cynghori ni, y bois ifanca, i roi'n penne i lawr wrth gerdded trwyddyn nhw ac i anelu am y drws heb oedi dim, a hyn i gyd i sŵn y gân 'We've got the worst team in the land'.

Pan gyrhaeddon ni Gaerdydd rodd y wasg fel haid o fleiddiaid yn barod am ein gwaed ni. Dwi'n cofio ca'l 'y nilyn gan un o ohebwyr S4C odd yn mynnu stwffo meic dan 'y nhrwyn er mwyn trio ca'l 'y marn i ar y ffaith fod Graham Henry wedi ymddiswyddo, a finne ond yn 19 oed ac wedi chware un gêm yn unig yng nghystadleuaeth y Chwe Gwlad. Buodd yn rhaid iddo fodloni ar ateb digon niwlog ac anfeirniadol. Dysges i wersi cynnar iawn yn sgil y gêm honno. Yn gynta, pa mor anwadal eu cefnogaeth ma dilynwyr yn gallu bod, a bod chwaraewyr y tîm cenedlaethol, yn dilyn perfformiad siomedig, yn wynebu talcen caled. Hefyd, des i'n ymwybodol o'r pwyse mawr ma'r wasg a'r cyfrynge'n gallu rhoi ar chwaraewyr Cymru.

Rodd hi'n amlwg, yn syth wedi i Graham adel, bod Steve Hansen am newid pethe. Fe ddechreuodd gwestiynu rhai o'r chwaraewyr hena ynghylch eu cymhellion, gan drio'u ca'l nhw i weitho'n galetach. Rodd rhai ohonyn nhw'n gwrthwynebu hynny ac yn meddwl ei fod e'n awgrymu bod mwy o fai arnyn nhw am safon y perfformiad yn erbyn Iwerddon nag ar neb arall. Dodd hi ddim yn syndod falle i yrfa ryngwladol ambell un ddod i ben ychydig ar ôl 'nny. Yn sgil yr hyn welodd e yn Iwerddon fe ddigwyddodd dau beth o ran agwedd Steve tuag at y tîm. Rodd y cynta'n ymwneud â fi'n bersonol. Gan ei fod e, mae'n debyg, wedi lico'r hyn y llwyddes i i neud ar ôl dod ar y cae, fe roiodd gyfle i fi ddod oddi ar y fainc a chymryd lle Robert Howley, er cystal rodd ynte'n chware, ym mhob un o'r gême erill yn y Bencampwriaeth y tymor hwnnw, ac eithrio honno yn erbyn Ffrainc.

Cafodd agwedd Steve at y wasg hefyd ei lywio gan yr hyn welodd e yn dilyn y gêm yn erbyn Iwerddon. Bydde fe bob amser yn gwarchod y bois rhag unrhyw bwyse gan y wasg a'r cyfrynge. Yn gyhoeddus, fe fydde fe wastad yn cefnogi'r chwaraewyr er na fydde fe falle'n cytuno â'u safbwynt nhw ac fe fydden ni'n cael clywed hynny ganddo yn breifet. Fe fydde fe'n rhoi pwylais mawr ar feithrin 'gwerthoedd tîm' ac ar ga'l pawb i weitho ac i dynnu gyda'i gilydd i greu harmoni o fewn y garfan. Rodd ca'l pawb ohonon ni i ddangos parch tuag at bobol a thraddodiade, ac at ein hymddygiad yn gyffredinol, yn hollbwysig iddo. Trwy hyn i gyd fe lwyddodd i greu carfan glòs a bodlon ac er bod ein canlyniade ni ar y dechre yn siomedig fe fydde ganddo ryw agwedd 'peidiwch â becso, fe ddaw pethe'n iawn yn y diwedd'. Rodd hi'n anodd derbyn hynny weithe ond rhaid cyfadde iddo ga'l ei brofi'n iawn.

Rodd ganddo nifer o syniade gwahanol i Graham Henry. Er ei fod e'n credu yn system 'y pod' yn dilyn chware gosod, fydde fe ddim am i ni gadw ati mor hir â'i ragflaenydd, gan roi mwy o ryddid i ni chware'r gêm fel ro'n ni yn ei gweld hi. Rodd ganddo dactege ar gyfer y llinell odd braidd yn chwyldroadol ac yn amhoblogaidd gan rai o'r blaenwyr am dipyn. Bydde fe am i'r bachwr daflu'r bêl i wagle penodol yn hytrach nag i ddwylo neidiwr arbennig, gan ei neud hi'n haws i neidiwr dderbyn y bêl pan odd hi ar y pwynt ucha posib wrth iddi fynd trwy'r aer. Rodd ganddo agwedd eitha caled mewn sesiyne ymarfer ac ro'n i'n amal yn teimlo fel dweud wrtho am fynd i'r diawl! Ond yn y bôn ro'n i'n gallu gwerthfawrogi beth rodd e'n neud.

Bydde Steve yn hoff iawn o drafod ac os odd 'da chi broblem bydde fe'n barod iawn i wrando. Os o'ch chi'n anghytuno ac yn gallu cyfiawnhau'ch safbwynt, bydde fe bob amser yn fodlon dadle â chi heb ddal dig o gwbwl. Ond, fel arfer, *fe* fydde'n iawn yn y diwedd! Rodd e'n fachan streit a gonest ac rodd parch mawr iddo. Yn sicr rodd e, hefyd, yn hyfforddwr odd ymhell o flan ei oes ac o'm rhan i, a llawer iawn o'r garfan, rodd hi'n bleser gweithio gydag e. Dwi'n eitha siŵr ei fod ynte hefyd wedi mwynhau ei gyfnod gyda ni. Rodd 'na awgrym weithe, ymhell ar ôl iddo adel ei swydd, bod gan Gymru a'r tîm cenedlaethol le arbennig yn ei galon e.

Enghraifft o hynny oedd pan gynhaliwyd noson holi ac ateb yng Nghastell Newydd Emlyn fel rhan o ddigwyddiade blwyddyn dysteb Dafydd Jones, wedi iddo orfod ymddeol o'r gêm oherwydd anaf, y prif westai odd Steve Hansen. Rodd e bryd 'nny yn digwydd bod yng Nghaerdydd fel aelod o dîm hyfforddi'r Crysau Duon, odd wedi dod draw i chware yn erbyn Cymru. A'th Steve yn unswydd i Geredigion i fod yn rhan o'r gweithgarwch y nosweth honno. A phan gyhoeddodd Dafydd ei fod e'n gorfod ymddeol oherwydd anaf cafodd lythyr personol gan Steve yn cydymdeimlo ag e ac yn dymuno'n dda iddo ar gyfer y dyfodol.

Erbyn i Steve gymryd yr awene rodd Scott Johnson hefyd yn rhan o'r tîm hyfforddi a chanddo gyfrifoldeb arbennig am yr olwyr. Mae e'n hyfforddwr arall ma 'da fi'r parch mwya tuag ato ac o dan ei arweiniad e y cafodd y sylfeini eu gosod ar gyfer y math o chware a dda'th â chyment o lwyddiant i Gymru yn y blynydde wedyn. Rodd ganddo syniade a dalodd ar eu canfed ac alla i ddim â deall pam fod y Cymry wedi bod mor feirniadol ohono fe. Tasen nhw'n sylweddoli faint yn gwmws mae e wedi'i gyfrannu i rygbi Cymru dwi'n siŵr y base'u barn nhw'n wahanol.

Tan i Steve a Scott ymgymryd â'u dyletswydde gyda thîm Cymru do'n i eriod wedi ca'l hyfforddiant unigol fel mewnwr. Ond yna, oddi wrth Scott yn enwedig, fe ges i sylw arbennig o ran y ffordd y gallwn i fel mewnwr fod yn ymateb i'r chware o 'nghwmpas i. Fe ddysgon nhw shwd y dylwn i reoli gêm pan fydde angen, gan roi'r hawl i fi, er mor ifanc ro'n i, roi ordors i chwaraewyr profiadol fel Scott Quinnell mewn sefyllfaoedd arbennig. Fe roion nhw'r hyder i fi neud penderfyniade ar y cae i ymateb i'r hyn ro'n i'n ei weld o 'mlan i.

Erbyn diwedd Pencampwriaeth y Chwe Gwlad bydde Steve yn gofyn i fi dreulio lot mwy o amser gyda'r tîm cynta ar y cae ymarfer. Fel y bydde diwrnod gêm yn agosáu, fydde'r bechgyn odd ar y fainc fel arfer ddim yn ymarfer gyda'r tîm a gawsai ei ddewis ar gyfer y gêm honno. Ond dechreuodd Steve adel i fi dreulio rhan helaeth o bob sesiwn yn ymarfer gyda'r tîm ac erbyn i ni chware yn erbyn yr Alban ro'n i'n meddwl bod gobaith y byddwn i'n ca'l 'y newis i ddechre'r gêm. Ond dyna odd gêm olaf Rob Howley dros Gymru ac mae'n siŵr bod Steve am roi cyfle iddo ffarwelio yn Stadiwm

y Mileniwm. Ond fe gafodd ei dynnu oddi ar y cae ar ôl tua
60 munud gan roi cyfle i fi chware am yr ugain munud ola.
Ac ynte ond yn 31 oed rodd e braidd yn ifanc i ymddeol yn 'y
marn i, yn enwedig gan ei fod e'n gymharol hen, tua 25 oed,
yn dechre'i yrfa ryngwladol. Beth bynnag am hynny, rodd
cyfle nawr i fi drio sefydlu'n hunan yn y tîm cenedlaethol ac
ro'n i'n edrych mlan at y sialens yn fawr iawn.

5

Wynebu'r mawrion

ER Y SIOM o ffaelu cyrradd rownd derfynol Cwpan Heineken, cafodd Llanelli ddiweddglo eitha llwyddiannus i dymor 2001–2. Fe faeddon ni Gaerdydd i ennill y Gynghrair, a finne'n cael chware gêm gyfan, ac fe gyrhaeddon ni rownd derfynol Cwpan y Principality, eto yn erbyn y clwb o Heol Sardis. Ches i ddim llawer o hwyl arni yn y gynta o'r ddwy gêm ac, o ganlyniad nid fi ond Guy Easterby odd y dewis cynta ar gyfer yr ail. Ro'n i damed bach yn siomedig achos rodd Cymru'n mynd i Dde Affrica y mis wedyn i chware dwy gêm brawf ac ro'n i'n ofni na fyddwn i'n ca'l 'y newis ar gyfer y daith honno os na fyddwn i'n ca'l digon o gyfle i chware i dîm Llanelli.

Pan gyhoeddwyd enwe'r rhai odd yn y garfan ro'n i mor falch 'mod i yn eu plith. Er hynny, rodd hi'n syndod gweld bod rhai enwe cyfarwydd iawn wedi ca'l eu gadel mas, fel Scott Quinnell a Chris Wyatt. Fe gafwyd gêm yn erbyn y Barbariaid i baratoi ar gyfer y daith a finne'n bles iawn taw fi odd y dewis cynta fel mewnwr. Ond rodd y canlyniad yn siomedig iawn – colli 25–40, ar ôl bod ar y blan ar un adeg o 25 i 0. Dodd hynny'n sicr ddim yn argoeli'n dda ar gyfer y gême prawf yn Ne Affrica. Er i ni chware'n dda am 60 munud fe fuodd yn rhaid i ni dalu'n ddrud oherwydd ein diffyg ffitrwydd yn y diwedd. Rodd y beirniaid rygbi yn disgwyl i ni ga'l cythrel o goten yn erbyn y Boks.

Serch 'nny, ro'n i'n hapus â'r ffordd ro'n i wedi chware yn

y gêm ac yn hapusach fyth o ga'l 'y newis i ddechre'r Prawf Cynta, yn Bloemfontein, ychydig wythnose wedyn. Wrth baratoi ar gyfer y gêm, buon ni'n manteisio ar gyfleustere gwych Prifysgol Stellenbosch, ar bwys Cape Town, lle ro'n ni'n aros yn ystod y daith. Ond cafodd y 'Captain's Run' arferol, sef y sesiwn ymarfer ola cyn gêm ryngwladol, ei chynnal yn un o'r maestrefi ar gyfer pobol groenddu'r ddinas. Rodd hyn yn rhan o bolisi Steve Hansen a Scott Johnson o'n hannog ni'r chwaraewyr, ar bob taith dramor, i brofi rhywfaint o'r bywyd a'r diwylliant brodorol. Ond chawson ni fawr o gyfle ar y daith honno i fod yn dyst i'r tlodi aruthrol yn y maestrefi hyn.

Y Prawf Cynta hwnnw wrth gwrs odd y tro cynta i fi ddechre gêm i Gymru ac rodd e'n brofiad sbesial iawn ca'l rhedeg mas i'r cae yn gwisgo'r crys coch. Rodd 'na ffactorau erill hefyd na'th y gêm yn un gofiadwy i fi. Mae Bloemfontein yn un o gadarnleoedd y gwynion o dras Afrikaner a do's 'da fi ddim cof gweld yr un wyneb lliw neu groenddu yn y dorf y diwrnod hwnnw. Rodd llawer iawn o'r dorf yn gwisgo cryse Springboks ac yn neud arwyddion bygythiol arnon ni yn ystod y gêm. Un o frodorion enwoca'r ddinas odd Hansie Cronje, y capten mwya llwyddiannus a fu eriod ar dîm criced De Affrica ac rodd yr ardal wedi penderfynu y bydde'r gêm yn ca'l ei chware er cof amdano.

Y flwyddyn cynt, rodd e wedi'i ga'l yn euog o drefnu canlyniade gême criced trwy dwyll ac wedi'i wahardd am byth rhag chware na hyfforddi criced. Ychydig cyn inni chware'r Prawf Cynta hwnnw fe gafodd ei ladd mewn damwain awyren ac rodd nifer o'i gydwladwyr o'r farn bod y meistri gamblo a'i swynodd i ddilyn eu gorchmynion wedi trefnu ei ddiwedd e. Cynhaliwyd munud o dawelwch er cof amdano cyn dechre'r gêm ac yn ystod yr ysbaid hwnnw fe ddechreuodd y dorf lafarganu enw Hansie

Cronje. Rodd nifer o'n tîm ni, fel fi, yn gymharol ifanc, ac rodd y profiad yn ddigon i hala arswyd ar unrhyw un.

Rhywbeth arall halodd ofan arna i odd gweld rhai o'r Boks yn rhedeg 'nôl a mlan cyn y gic gynta. Fe sylwes yn arbennig ar y canolwr Andre Snyman, odd wedi bod mas o'r tîm gydag anaf am gyfnod hir. Rodd e'n chwech troedfedd a dwy fodfedd o daldra ac yn pwyso dros 16 stôn – odd braidd yn anghyffredin i ganolwr yn y dyddie 'nny, ac yn carlamu ar hyd y lle fel ceffyl blwydd. Dwi'n cofio gobeitho'n daer na fydde raid i fi ei daclo fe ar shwd gyflymder!

Rodd tîm De Affrica, yn ôl y wasg, yn disgwyl ennill o 50 pwynt o leia yn y gêm gynta honno, yn enwedig o gofio eu bod nhw wedi sgori 96 o bwyntie yn erbyn Cymru y tro diwetha i ni ymweld â'r wlad, yn 1998. Er mawr syndod iddyn nhw a nifer o bobol erill fe ethon ni ar y blan o 11 i 3 ond er i ni greu nifer o symudiade bygythiol fe lwyddodd y tîm cartre i ddod 'nôl i'r gêm yn raddol a cha'l y gore arnon ni yn y diwedd o 34 i 19. Rodd Steve Hansen yn bles â'r perfformiad ond ro'n ni ychydig yn siomedig hefyd, gan ein bod ni'n gwbod y gallen ni fod wedi ennill y gêm honno. Ar ein diffyg ffitrwydd roedd y bai unwaith eto. Dodd y wasg yno ddim yn hapus â pherfformiad y tîm cartre gan gorddi'r dyfroedd yn fygythiol ar gyfer yr Ail Brawf. O'n rhan ni, ro'n ni'n eitha ffyddiog ein bod ni, er mor ifanc, wedi gosod sylfaen eitha cadarn ar gyfer y blynydde i ddod.

A finne wedi ca'l gêm foddhaol ro'n i'n falch iawn 'mod i wedi ca'l 'y newis i ddechre'r Ail Brawf ar gae Newlands, yn Cape Town, yr wythnos wedyn. Rodd y tir yn wlyb iawn yn dilyn glaw trwm cyn y gic gynta ond er mawr siom fe fu'n rhaid i fi adel y cae ar ôl 11 munud oherwydd anaf cas i 'mhigwrn. Fe chwaraeodd y bois yn dda iawn a gyda dim ond 10 munud i fynd rodd y sgôr yn 8–8, ond rodd dwy gic gosb a chais hwyr yn ddigon i sicrhau buddugoliaeth i Dde Affrica o 19 i 8. Yn sicr, rodd gyda ni enw da yn gadel y wlad. Ro'n ni wedi rhoi amser caled i'r Boks ac wedi chware rygbi deniadol yn erbyn tîm corfforol iawn ac rodd ein carfan gymharol ifanc ni wedi llwyddo i neud argraff fawr yn erbyn tîm odd yn ail i Loegr yn unig ar y pryd.

Fe fu'r daith yn llwyddiant oddi ar y cae hefyd. Er taw am gyfnod cymharol fyr ro'n ni yn y wlad fe gethon ni gyfle i fwynhau'r golygfeydd enwog, fel Table Mountain ac ardal y Waterfront yn Cape Town. Un o'r digwyddiade mwya cofiadwy i fi odd ymweld â Robben Island, lle cafodd Nelson Mandela ac arweinwyr croenddu erill eu carcharu. Rodd gweld y math o fywyd y buodd yn rhaid iddyn nhw ei ddioddef yno yn agoriad llygad ac fe na'th y profiad 'yn sobri i.

O ran y rygbi, bydde tipyn o'r gwaith ymarfer yn ca'l ei neud mewn grwpiau o 10 a'r duedd wedyn odd bod y grwpiau 'nny'n cymdeithasu 'da'i gilydd gyda'r nos – dros bryd o fwyd fel arfer. Yn y ffordd 'na fe ddethon ni i nabod ein gilydd yn dda a chan fod bois fel Colin Charvis a Tom Shanklin yn dipyn o gymeriade fe gethon ni lot o sbort. Mae gan Tom synnwyr digrifwch ffantastig ac mae'n un drwg am dynnu ar bobol. Mae e wrth ei fodd â theclynnau electronig a dechreuodd e'r arferiad o chware cerddoriaeth ar fŷs y tîm.

Tra o'n ni yn Ne Affrica, rodd 'da'r chwaraewyr ddyletswydde gwahanol ac, yn 'yn achos i, dyna odd yr unig agwedd ddiflas o'r daith. Gwaith Duncan Jones a fi odd neud yn siŵr bod cit y bois yn ca'l ei olchi ar ôl pob sesiwn ymarfer, ac rodd hynny'n dipyn o niwsans! Ond un peth pleserus a ddigwyddodd o ran y cit odd ein bod ni i gyd wedi gadael ein bagie llawn o ddillad ymarfer yn ein stafelloedd wrth ymadel, i ddangos ein gwerthfawrogiad i'r bobol odd yn glanhau. Ro'n nhw i gyd wedi dwlu ond ro'n nhw'n haeddu'r cyfan am y ffordd wych ro'n nhw wedi edrych ar ein hole ni.

Y gêm nesa i Gymru ar ôl y daith honno odd yn erbyn Romania yn Wrecsam. Dwi'n credu ei bod hi'n bwysig iawn bod tîm llawn Cymru yn chware rhai gême rhyngwladol yng ngogledd Cymru ac o bosib y gallai Undeb Rygbi Cymru fod wedi neud mwy i hybu'r gêm yn y rhan honno o'r wlad. Yn erbyn Romania fe chwaraees i am yr 80 munud ar ei hyd, y tro cynta i fi ga'l neud 'nny yn y crys coch. Wrth gwrs ma hi bob amser yn haws dod i'r cae yn hwyr mewn gêm oherwydd erbyn 'nny ma bylche'n fwy tueddol o agor wrth i chwaraewyr flino. Ond ar y llaw arall ma'n fwy o sialens ca'l bod wrthi o'r dechre'n deg a thrio ca'l y gore o'r gwrthwynebwyr tra'u bod nhw ar eu cryfa a'u cyflyma.

Fe gethon ni fuddugoliaeth hawdd y nosweth 'nny o 40 i 3 a'r uchafbwynt i fi odd 'mod i wedi ca'l gwireddu breuddwyd wrth chware gydag arwr i fi, Neil Jenkins, odd yn safle'r maswr ac yn ennill ei gap olaf ar ôl cynrychioli'i wlad 87 o weithe. 'Sen i wedi bod wrth 'y modd yn chware gyda fe pan odd e ar ei ore ond hyd yn oed wedyn, yn y gêm honno yn Wrecsam, rodd ganddo ryw awra arbennig. Yn wir, do'n i ddim yn awyddus i drio torri o gwbwl, nac i roi cynnig ar neud unrhyw beth ar 'yn liwt 'yn hunan achos ro'n i am ganolbwyntio ar roi pêl dda i Neil, ac ynte'n gymaint o feistr ar reoli gêm.

Yn yr un modd, bythefnos yn ddiweddarach, yn erbyn Canada yn Stadiwm y Mileniwm, fe benderfynodd y chwaraewr gore dwi eriod wedi chware gydag e, sef Scott Quinnell, taw dyna fydde'r tro dwetha iddo fe gynrychioli ei wlad. Rodd 'da fe nerth anhygoel ac er y galle fe'n amal ga'l gêm gymharol dawel, gallech chi ddibynnu arno i neud y gwaith caled aruthrol sydd ei angen yn y gorneste mawr pwysig. A finne'n fewnwr bach ifanc dibrofiad gyda'r Scarlets fe fuodd e'n wych yn 'y ngwarchod i ar y cae ac er nad odd e'n hoff iawn o baso'r bêl rodd e'n feistr ar gymryd y pwyse oddi arna i pan fydde blaenwyr y tîm arall yn bygwth. Mae Scott yn fachan ffein ac, fel yn achos Neil, byddwn i wedi bod wrth 'y modd petawn i wedi ca'l chware mwy gydag e. Ond erbyn y diwedd rodd ei gorff e wedi ca'l ei racso cymaint yn sgil ei ymdrechion nerthol a dewr ar hyd y blynydde ac ar ôl ennill 52 o gapiau rodd ei benderfyniad i roi'r gore i'w yrfa ryngwladol yn un doeth.

Yr wythnos wedyn fe ges i'r profiad mwya cofiadwy ro'n i wedi'i ga'l tan hynny ar y lefel ucha. Fe ges i chware yn erbyn y Crysau Duon a'r enwog Jonah Lomu. Rodd awyrgylch arbennig yn y stafell newid cyn y gêm honno gan fod pawb ar dân. Diolch byth dodd dim rhaid i fi fynd i'r afael â Jonah o gwbwl ond dwi'n cofio trio taclo Tana Umaga cwpwl o weithe ac rodd hynny'n ddigon. Do'n nhw ddim yn fois mawr iawn ond rodd eu ffitrwydd nhw, eu sgilie dan bwyse, y ffaith fod eu blaenwyr yn gallu trafod pêl mor dda, a'u llinelle rhedeg nhw yn dipyn gwell nag unrhyw wlad arall.

O'r cefndir hwnnw rodd Steve Hansen yn dod wrth gwrs ac fe fuodd e'n trio hyfforddi tîm Cymru i chware yn yr un ffordd. Er bod y canlyniade cynnar yn siomedig rodd pethe'n dod i siâp erbyn iddo adel. Do's dim dwywaith bod llawer o'r gwaith caled na'th e wedi arwain at ennill y Gamp Lawn yn 2005. Colli nethon ni yn erbyn Seland Newydd y diwrnod hwnnw, o 17 i 43, ond ar yr hanner ro'n ni ar y blaen, 10–9. Gyda 4 munud yn unig ar ôl dim ond o 17 i 22 ro'n ni ar ei hôl hi, ond, fel sy'n digwydd mor amal, ma'r Crysau Duon fel petaen nhw'n gallu ffindo gêr ychwanegol pan fyddan nhw isie a dyna odd yr hanes ar y diwrnod hwnnw, pan sgoron nhw 21 pwynt arall yn y munude ola. Eto, fe allen ni fod yn eitha balch o'r ffordd chwaraeon ni, er gwaetha'r sgôr terfynol, ac rodd na elfenne positif iawn i'r perfformiad. Nid yn amal y bydd unrhyw bac yn gallu gwthio wyth y Crysau Duon 'nôl dros eu llinell eu hunen a'u ca'l nhw i ildio cais cosb, fel na'th ein pac ni tua diwedd y gêm arbennig honno.

Un o'r rhai sgorodd gais i'r ymwelwyr y diwrnod hwnnw odd bachgen ifanc o'r enw Regan King. Rodd e'n gymharol ddibrofiad ar y pryd, gan nad odd e wedi chware o gwbwl yng nghystadleuaeth y Super 14, dim ond ar lefel is yr NPC, y brif gystadleuaeth ar gyfer clybie rygbi, yn hytrach na'r taleithie, yn Seland Newydd. Dyna'r unig dro iddo chware i'r Crysau Duon, yn bennaf oherwydd iddo ddiodde nifer o anafiade. Yn y man fe fu hynny'n fendith i'r Scarlets gan iddo hala pum mlynedd ddisglair iawn yn Llanelli ac rodd hi'n fraint ac yn bleser ca'l chware yn yr un tîm ag e. Nid odd neb gwell nag e am amseru pàs a thrwy hynny creu bwlch i gyd-chwaraewr fanteisio arno ac rodd ei steil arbennig e'n gweddu i'r dim i'r ffordd rodd y Scarlets yn hoff o chware'r gêm. Rodd 'da fe gyment o amser ar y bêl ac yn amal fe alle fe roi'r argraff ei fod e wedi maeddu'r sawl odd gyferbyn ag e hyd yn oed cyn iddo dderbyn y bêl. Yn sicr, fe na'th enw iddo'i hunan fel un o'r chwaraewyr gore yng Nghynghrair Magners pan o'n i ar y Strade.

Dechreuodd Pencampwriaeth y Chwe Gwlad 2003 yn y ffordd waetha bosib i ni. Fe gethon ni'n maeddu 30–22 gan yr Eidal yn Rhufain, buddugoliaeth gynta'r Azzurri yn y gystadleuaeth honno. Yn y gêm, fe sgores i 'nghais cynta i Gymru ond ma arna i ofn bod y siom o golli wedi cymylu'r pleser hwnnw. Rodd y gêm yn sicr yn gofiadwy i Colin Charvis, ein capten ni ar y diwrnod, am fwy nag un rheswm. Fe gafodd ei dynnu bant ar ôl 68 munud ac wrth iddo gyrradd lloc y chwaraewyr ar ochr y cae fe gafodd ei ddal yn gwenu ar y camerâu teledu.

Dehongliad y wasg odd bod y sefyllfa druenus rodd tîm Cymru ynddi ar y pryd yn destun sbort iddo. Y gwir amdani odd taw ymateb wnaeth Colin i rywbeth ffraeth a ddwedodd rhywun wrtho, wrth iddo ishte i lawr. Yn anffodus fe gafodd

ei groeshoelio am y wên honno ac mewn pôl piniwn rai
dyddie wedyn, i ddarganfod pwy odd pobol Cymru yn ei
gasáu fwya, fe dda'th e'n ail i Osama Bin Laden! Dodd y
ffaith taw Sadam Hussein dda'th yn drydydd fawr o gysur
iddo chwaith!

Rodd y gêm honno'n ddechre siomedig i dymor
trychinebus i dîm Cymru, a ninne'n colli pob gêm. Heblaw
am y gêm yn erbyn Ffrainc, ail ddewis o'n i i Gareth Cooper
ac ro'n i'n derbyn taw hynny odd yn iawn. Rodd e'n chware'n
rheolaidd i dîm Caerfaddon ac yn ca'l profiad cyson ar y
lefel ucha, tra o'n i'n ca'l gême am yn ail â Guy Easterby
ar y Strade. Ro'n i'n ifanc ac yn sylweddoli bod lot 'da fi i
ddysgu. Er bod pàs dda 'da fi a 'mod i'n cico'n eitha da, do'n
i ddim yn ddigon o fygythiad pan fydde'r bêl yn 'y nwylo. Ar
ben 'nny rodd isie i fi fod yn llawer mwy corfforol ar y cae
os o'n i'n mynd i neud 'y marc.

Mewn ffordd rodd y profiad o fod yn ail ddewis i 'Coops'
yn ystod y tymor hwnnw yn ddigon i roi hwb i fi drio gwella
ac ro'n i'n lwcus iawn taw Steve Hansen odd wrth y llyw
gyda thîm Cymru. Yr hyfforddiant ges i gydag e odd y gore
dwi eriod wedi'i ga'l, a chydag Andrew Hoare yn codi'n
safone i o ran ffitrwydd, cryfder a chyflymdra, ac yn rhoi
hyder i fi, ro'n i'n edrych mlan at y tymor nesa er mwyn trio
datblygu i fod yn fewnwr mwy cyflawn.

6

Cwpan y Byd 2003

RODD Y PWYSLAIS ar ddiwedd y tymor hwnnw wrth gwrs ar Gwpan y Byd fydde'n ca'l ei gynnal yn Awstralia ym mis Medi 2003. Dechreuodd y gwaith paratoi o ddifri gyda dwy gêm yn Hemisffer y De ym mis Mehefin 2003 – un yn erbyn Awstralia a'r llall yn erbyn y Crysau Duon. Fe gethon ni'n maeddu yn y ddwy yn eitha rhwydd gyda'r ail, odd yn goten o 55 i 3, yn neud i'r beirniaid gyhoeddi nad odd gobaith 'da ni o neud yn dda yng Nghwpan y Byd. Yn y gêm honno fe gethon ni weld Dan Carter yn ymddangos yn y crys du am y tro cynta, a hynny yn y canol. Fe gafodd gêm solet, heb ddangos yr athrylith ddethon ni i'w ddisgwyl ganddo fe'n ddiweddarach, ond rodd y ffaith iddo sgori 20 pwynt yn awgrymu falle y bydde fe'n dipyn o fygythiad ar y lefel ryngwladol am beth amser i ddod.

Yn nhîm Seland Newydd hefyd rodd dau chwaraewr caled y bydden ni yng Nghymru yn dod i'w nabod nhw'n eitha da ymhen amser, sef Jerry Collins a Marti Hollah, a chwaraeodd i'r Gweilch. O ganlyniad i dacl gan Jerry, fe fu'n rhaid i Colin Charvis fynd i'r ysbyty yn diodde o effeithie ergyd i'w ben. Rodd achos pryder ar y cae wrth i Tana Umaga sicrhau na fydde Colin yn llyncu'i dafod o ganlyniad i'r gnoc.

Yn 'y marn i, dwi ddim yn meddwl y dylen ni fod wedi chware'r ddwy gêm honno. Rodd y bois fel petaen nhw wedi blino a'r peth dwetha ro'n ni isie ar ôl tymor mor siomedig yng nghystadleuaeth y Chwe Gwlad odd ca'l trasiad ym mhen draw'r byd. Eto, rodd Steve yn eitha positif. Rodd e'n gweld y ddau berfformiad yn fodd i roi digon inni weitho arno er mwyn gwella ar gyfer Cwpan y Byd, am wn i. Er ein bod ni bellach wedi colli wyth gêm yn olynol, rodd e'n dal yn driw i'w neges y bydde'r perfformiade a'r canlyniade'n siŵr o ddod i fwcwl yn y man. Ond dodd hynny ddim yn amlwg oddi wrth y gême rhyngwladol gawsai eu trefnu yn ystod yr haf hwnnw, cyn madel am Awstralia.

Fe gollon ni yn erbyn Iwerddon ac yn erbyn ail dîm Lloegr a dodd Steve ddim fel petai e'n gwbod pwy fydde fe'n eu cynnwys yn ei bymtheg cryfa. Yn erbyn y Gwyddelod fe roiodd e dîm cymharol ifanc ar y cae, a fi yn eu plith, ond dim ond un o'r chwaraewyr 'nny, Gareth Thomas, gafodd ei ddewis yn erbyn y Saeson. Y gêm nesa odd gêm yn erbyn tîm gwan Romania yn Wrecsam, gydag wyth cap newydd yn ymddangos, a Mefin Davies yn cael ei ddewis yn gapten – y pedwerydd i ddal y swydd honno mewn pedair gêm. Ymhlith y rhai odd yn ennill eu cap cynta rodd mewnwr ifanc o'r enw Mike Phillips. Ers i fi ei weld e'n ymarfer gyda'r Scarlets beth amser cyn 'nny ro'n i o'r farn y bydde dyfodol disglair o'i flan e ac fe dda'th drwy'r system yn gyflym iawn i brofi 'nny.

Yn ôl yn y tîm y diwrnod hwnnw, ar ôl ca'l ei anwybyddu am 23 o gême, rodd Shane Williams, ac fe sgorodd dri chais mewn buddugoliaeth o 54 i 8. Am ryw reswm dodd Graham Henry na Steve Hansen ddim yn ystyried ei fod e'n ddigon mawr i chware ar yr asgell ar y lefel ryngwladol. Mae'n debyg nad Steve odd yn gyfrifol am ddewis y chwaraewyr ar gyfer y gêm yn erbyn Romania, ond Mike Ruddock a Clive Griffiths. Hyd yn oed pan gafodd ei ddewis yn y garfan ar gyfer Cwpan y Byd fe deithiodd Shane i Awstralia fel trydydd mewnwr. Ond buan iawn y da'th yr hyfforddwyr i sylweddoli pa mor werthfawr rodd e ar yr asgell i dîm Cymru.

Erbyn y gêm baratoi ola, yn erbyn yr Alban, cyn teithio i Awstralia i Gwpan y Byd, rodd Steve o dan dipyn o bwyse. Y farn gyffredinol odd y bydde fe'n colli ei swydd cyn Cwpan y Byd pe na bydde tipyn o raen ar ein perfformiad ni yn y gêm honno. Dodd hi ddim yn amlwg o gwbwl ei fod e dan straen ac yn hytrach na phlygu i'r farn gyffredin a dewis y tîm cryfa posib i wynebu'r Alban fe benderfynodd ar gymysgedd o chwaraewyr. O'r tîm a ddechreuodd y gêm honno dim ond pedwar ohonyn nhw chwaraeodd yn y gêm gynta yn erbyn Canada yng Nghwpan y Byd. Fe enillon ni yn erbyn yr Alban o 23 i 9, a finne'n meddwl 'mod i wedi ca'l gêm eitha da, ac rodd Steve mae'n debyg yn mynd i gadw ei swydd.

Ar ôl y gêm, fe gyfaddefodd Iestyn Harris, a enillodd ei ail gap ar bymtheg i Gymru, taw'r diwrnod hwnnw y galle fe ddweud ei fod e'n deall gêm Rygbi'r Undeb o'r diwedd. Rodd wedi treulio ei yrfa rygbi tan 2001 yn chware Rygbi'r Gynghrair yng ngogledd Lloegr. Dwi ddim yn meddwl ei fod e wedi addasu i gêm yr Undeb cystal ag rodd pobol yn disgwyl iddo neud. Bydde fe'n ymarfer yn galed, rodd 'da fe sgilie da a wastad digon o amser ar y bêl. Eto, yn 'y marn i, chwaraeodd ei rygbi gore i Gymru fel rhif 12, ac rodd ei ddewis e yn safle'r maswr, a ddigwyddodd rhyw chwe gwaith, yn ei roi dan ormod o bwyse.

Cyn cychwyn am Awstralia fe fuon ni'n gweithio'n galed ar ein ffitrwydd, o dan ofal Andrew Hoare, yn gynta yng Ngwesty'r Vale ac yna am gyfnod yn Lanzarote. Er mwyn arfer â'r gwres mawr ro'n ni'n mynd i orfod ei ddiodde yn Sbaen, ac yn Awstralia, rodd y tim hyfforddi wedi rhoi sawl gwresogydd mawr yn y sgubor yn y Vale fydde'n chwythu aer twym trwy gydol y sesiyne ymarfer. Ma'n bosib bod y cynllun wedi talu ffordd yn Sbaen ond, yn eironig, tywydd oer at ei gilydd gethon ni yn Canberra, lle rodd pencadlys tîm Cymru yn ystod Cwpan y Byd!

Fe barhaodd y gwaith ffitrwydd yn Awstralia a phan ddes i i'r cae yn lle Gareth Cooper yn y gêm gynta yn erbyn Canada, gydag 20 munud i fynd, ro'n i'n teimlo'n fwy ffit nag eriod. Rodd ca'l chware yn y Telstra Dome yn Melbourne yn brofiad ardderchog ac yn neud iawn i ryw radde am y siom o beidio ca'l dechre'r gêm. Fe geson ni fuddugoliaeth weddol hawdd o 41 i 10 ond heb ddangos unrhyw sglein arbennig. Enillon ni 27–20 yn erbyn Tonga a finne eto'n dod i'r cae oddi ar y fainc. Ond y peth pwysica odd ein bod ni wedi ca'l dwy fuddugoliaeth, er bod y perfformiad yn yr ail gêm yn Canberra mewn glaw trwm iawn yn siomedig.

Un datblygiad pwysig a wnaed odd rhoi cliniadur (*laptop*) i'w rannu rhwng dau, fel y gallen ni'r chwaraewyr ddadansoddi gwahanol agwedde ar y gême y buon ni'n eu chware, yn ogystal â'r gême odd i ddod. Fe fydden ni'n trafod yn ein stafelloedd gyda phwy bynnag odd yn rhannu gyda ni a hefyd bydde Steve a Scott Johnson yn ca'l sesiyne unigol 'da ni. Bydde hynny'n digwydd cyn gêm a hefyd wrth edrych yn ôl ar gême odd newydd eu chware. Bryd 'nny bydden nhw'n tynnu sylw at yr hyn falle y gallen ni fod wedi'i neud yn wahanol, neu at beth y dylen ni fod yn neud mwy ohono. Rodd y drefen honno'n ddefnyddiol ac yn bwysig iawn a dyna ddechre patrwm sydd erbyn hyn wedi dod yn gyffredin.

Y gêm ro'n ni i gyd yn ei hystyried fel yr un bwysica i ni yn y rownd ragbrofol odd honno yn erbyn yr Eidal. Yn un peth ro'n i isie talu'r pwyth yn ôl ar ôl iddyn nhw'n maeddu ni yn y Chwe Gwlad rai misoedd ynghynt. Rodd yr Azzurri wedi bod yn eitha sarhaus tuag aton ni yn dilyn eu buddugoliaeth, yn clochdar ac yn ymffrostio mewn ffordd eitha haerllug. Felly, rodd rhywbeth gyda ni i'w brofi a gwbod y bydde ennill yn eu herbyn nhw y tro hwn yn mynd â ni drwyddo i rownd y chwarteri.

Ces i ddechre'r gêm honno ac, er inni ennill o 27 i 15, gan sgori tri chais i bum gôl gosb gan yr Eidal, rodd hi'n dalcen eitha caled. Ond ro'n ni nawr ymhlith yr wyth tîm ola yn y gystadleuaeth er bod 'da ni un gêm ar ôl yn y rownd ragbrofol yn erbyn y Crysau Duon. Ac ym marn pawb o'r gwybodusion, dodd dim gobaith caneri 'da ni o ennill honno. Ond buon ni bron â'i neud hi! Do, fe gollon ni, ond dodd y sgôr o 53 i 37 ddim yn bwysig yn y diwedd. Yn un o'r gême gore a welwyd eriod yng Nghwpan y Byd fe synnwyd y byd rygbi gan ein perfformiad cyffrous ac anturus ni. Y cwestiwn a gâi ei ofyn gan bawb odd pam nad o'n ni wedi chware fel 'nny cyn y gêm hon... ac mewn gwirionedd dodd 'da ni ddim ateb. Y cyfan odd wedi digwydd cyn y gêm odd bod Steve wedi'n hatgoffa ni nad odd unrhyw bwyse arnon ni bellach ac wedi dweud am fynd mas ar y cae i chware gyda hyder ac i fynegi'n hunen mewn ffyrdd fydde'n dangos pa mor dda ro'n ni fel tîm.

Rodd e wedi neud deg newid i'r pymtheg faeddodd yr Eidal ac wedi dewis Shane Williams ar yr asgell a Jonathan Thomas yn y rheng ôl am y tro cynta ar y daith. Rodd Jonathan wedi ymddangos un waith yn yr ail reng a hynny oddi ar y fainc. Fe gafodd y ddau, o bosib, eu gême gore eriod yn y crys coch y diwrnod hwnnw. Fe ges i ddod i'r cae am y 10 munud olaf pan o'n ni ar ei hôl hi o 10 pwynt ond rodd hi'n bleser ca'l bod yn rhan o berfformiad mor wefreiddiol. Rodd patrwm y sgori, heb sôn am gyffro'r chware, yn rhyfeddol – Cymru'n colli 28–10 ar un adeg yn yr hanner cynta, ond yn dod â'r sgôr i 28–24 ychydig cyn yr egwyl. Yna dyma ni'n ca'l cic gosb a chais i fynd ar y blan o 34 i 28, cyn i Seland Newydd ddod 'nôl i 34–33. Cic gosb arall i ni, i'w neud hi'n 37 i 33 i Gymru, gydag ugain munud ar ôl, ond yna'r Crysau

Duon, yn ôl eu harfer, yn gorffen yn gryf ac yn ennill yn y diwedd o 53 i 37.

Lloegr odd y gwrthwynebwyr nesa, yn rownd y chwarteri, ac rodd y garfan yn hyderus iawn yn mynd i mewn i'r gêm honno. Ond er gwaethaf ein perfformiad ardderchog ni yn erbyn Seland Newydd, dodd dim llawer yn disgwyl i ni chware i'r un safon yn erbyn y Saeson ac yn anffodus colli odd ein hanes ni unwaith eto, 28–17, ar ôl bod ar y blan o 10 i 3 ar yr egwyl. Unwaith yn rhagor, cyfraniad oddi ar y fainc odd 'da fi i'r gêm ond fe nethon ni argraff fawr gyda'n chware cyffrous, a sgori 3 chais i un gan Loegr. Trwy gicie cosb y nethon nhw sicrhau'r fuddugoliaeth, gyda throed Jonny Wilkinson yn gyfrifol am 23 o'u pwyntie, a Mike Catt, dda'th mlan fel eilydd ar gyfer yr ail hanner, yn neud yn siŵr bod ei gicio effeithiol e o'r dwylo yn rhoi ei dîm mewn safleoedd ymosodol yn gyson.

Felly, ro'n ni mas o Gwpan y Byd ac er bod Steve Hansen yn falch o'n perfformiad ni rodd hi'n amlwg ei fod e'n siomedig ein bod wedi colli yn erbyn Seland Newydd a Lloegr, gême y gallen ni fod wedi'u hennill. Ar ben 'nny, rodd y ffaith bod y Saeson wedi mynd mlan i ennill y Cwpan yn halen ar y briw! Yn sicr, rodd safbwynt Steve drwy'r dyddie tywyll y dyle fe, a ni'r chwaraewyr, fod wedi ca'l ein beirniadu am y perfformiade yn ystod Cwpan y Byd ac nid cyn 'nny, wedi profi yn osodiad doeth iawn.

Yn ogystal â bod yn llwyddiant ar y cae rodd y daith yn sicr yn un gofiadwy oddi arno. Dyna'r daith rygbi ore y bues i arni eriod. Fe gethon ni bedwar diwrnod i ymlacio yn syth ar ôl cyrraedd Awstralia, mewn gwesty reit ar lan y môr yn Manly, ychydig i'r gogledd o Sydney ac rodd y croeso'n wych yno. Fe fuon ni wrthi fel criw yn neud pob math o weithgaredde, fel chware golff, mynd lan mewn balŵn, a nofio mewn tanc anferth yng nghwmni siarcod! Ar ôl y profiad 'na rodd wynebu pac y Crysau Duon fel chware plant! 'Yn hoff weithgaredd i odd syrffo ac o gymharu â gweddill y bois ro'n i'n ymddangos fel tipyn o *beach boy*, achos ro'n i wedi ca'l ychydig o brofiad syrffo gyda ffrindie yn Niwgwl, Sir Benfro ac oddi ar draethe Gŵyr.

Symudon ni o fan'na i Canberra dros gyfnod y gême rhagbrofol ac er nad odd dim llawer gan y ddinas honno i'w chynnig o ran cyfleustere hamdden rodd y trefniade llety, er yn anghyffredin braidd, yn ardderchog. Yn hytrach na dilyn yr arfer o aros mewn gwesty penderfynwyd y bydden ni i gyd yn aros mewn fflatiau hunanarlwyo odd wedi'u gosod mewn blocie o bedwar. Weithe bydde pawb yn dod at ei gilydd i fynd mas am bryd o fwyd, ond fel arfer bydde'r bois odd yn y gwahanol flocie yn coginio i'w gilydd, â'r Undeb Rygbi yn darparu arian i brynu'r bwyd. Ro'n i'n rhannu fflat gyda Jonathan Thomas a thra bydde rhai o'r bechgyn yn mynd i drafferth i baratoi pryde iachus, blasus, ma arna i ofn taw paced o biffbyrgyrs fydde'r arlwy pan fydden nhw'n dod i'n fflat ni! Ond fe weithiodd y drefn arbennig honno'n wych a phawb wrth eu bodd yn cael sbort wrth gymdeithasu a dda'th yn ei sgil.

Cafodd pob math o weithgaredde eu trefnu ar ein cyfer ni ac i Steve rodd y diolch am nifer ohonyn nhw. Fel rhan o'i awydd i'n gweld ni'n ymfalchïo yn ein gwreiddie Cymreig fe ofynnodd i Robin McBryde gynnal côr, ac fe dda'th hynny yn un o'r agwedde mwya poblogaidd o'n bywyd cymdeithasol ni yn Awstralia. Fe fydden ni'n ca'l sesiyne ymarfer cyson ac yn ca'l lot o hwyl wrth fwrw iddi i ganu mewn ambell farbeciw, clwb rygbi, yn y stafell newid ac yn y bar. Penderfynwyd hefyd, er mwyn ca'l rhyw wedd eisteddfodol i'r holl beth, roi enwe barddol i aelode'r côr. Mae'n debyg taw 'da fi a Brent Cockbain odd dau o'r enwe perta, sef Dwayne Gwddwg Hir a Brent Pen Pin!

Mae'n draddodiad yn y byd rygbi ers rhai blynydde bellach i ga'l rhywun nodedig i gyflwyno cryse i'r chwaraewyr cyn gêm ryngwladol ac yn ystod Cwpan y Byd fe drefnodd Steve bod rhai o sêr y byd chwaraeon yn Awstralia, fel Glenn McGrath y chwaraewr criced, a Mal Meninga, Wally Lewis ac Andrew Johns, chwaraewyr Rygbi'r Gynghrair, yn dod aton ni i neud 'nny. Wrth gwrs ro'n nhw'n fyd-enwog ac yn ysbrydoliaeth i ni i gyd pan fydden nhw'n tynnu er eu profiade er mwyn ein hannog ni i neud ein gore dros ein gwlad.

Ond dwi'n cofio i Andrew Johns, un o'r goreuon eriod yn ei gamp, roi'r argraff anghywir i ni falle wrth iddo adrodd sut y bydde fe a'i gyd-chwaraewyr yn nhîm Rygbi'r Gynghrair New South Wales yn paratoi ar gyfer y gyfres 'State of Origin' blynyddol. Yn ôl y farn gyffredinol, dyma gême Rygbi'r Gynghrair uchaf eu safon yn y byd sy'n ca'l eu cynnal yn rheolaidd rhwng time New South Wales a Queensland. Yn ôl Andrew fe fydden nhw'n dechre paratoi ar gyfer y gêm gynta trwy dreulio'r dydd Llun yn y bar. Yna bydden nhw'n dilyn yr un drefn ar y dydd Mawrth ac yna'n dechre ymarfer ar y dydd Mercher ar gyfer y gêm ar y dydd Sadwrn. Dwi ddim yn meddwl taw dyna'r math o neges odd gan Steve dan sylw pan drefnodd e bod Andrew yn dod i siarad â ni!

Dim ond un siom ges i yn ystod yr holl daith, sef darganfod taw fi unwaith eto, a Jonathan Thomas yn gwmni i fi y tro hwn, odd â'r cyfrifoldeb am olchi dillad y bois. Weithe rodd y gwaith hwnnw'n gallu bod yn dalcen caled, fel darganfod bod isie crysau gwyn, glân ar y bois i fynd i ginio arbennig, a bod dim amser i'w hala nhw i'r *laundry*. Y canlyniad? Bydde'n rhaid i fi a Jonathan eu golchi nhw i gyd! Rodd rhai yn y garfan wedi ca'l dyletswydde digon pleserus, fel bod yn aelod o'r Pwyllgor Adloniant. Ond na, dim fi!

Rodd un anrhydedd ychwanegol i'w chael o gynrychioli'ch gwlad yng Nghwpan y Byd, sef ennill cap glas arbennig pan fydde hynny'n digwydd am y tro cynta mewn un gystadleuaeth benodol. Bues i'n ddigon ffodus i ennill un arall yn 2007 ac mae'r ddau bellach yn saff yn nhŷ Mam a Dad. Rodd Cwpan y Byd 2003 yn sicr yn drobwynt yn 'y ngyrfa i. O hynny mlan dechreues i chware 'yn rygbi gore, yn benna o achos bod 'da fi lot mwy o hyder. Ro'n i nawr yn dipyn mwy o seis ac ro'n i wedi dysgu cyment ar ôl chware mas yn Awstralia, oddi wrth Steve Hansen a'r tîm hyfforddi, a thrwy gystadlu yn erbyn goreuon y byd. Eto, ro'n i'n gwbod bod llawer mwy 'da fi i'w gynnig ar y cae. Rodd e'n drobwynt hefyd yn hanes y tîm, er na ddethon ni i sylweddoli 'nny am beth amser. Ond yn sicr dyna odd yr argraff gethon ni i gyd pan gyrhaeddon ni 'nôl o Awstralia i'r Vale a phrofi croeso anhygoel a chanmoliaeth gynnes. Rodd hi'n amlwg bod ein steil ni o chware yn y ddwy gêm ola wedi rhoi tipyn o bleser i ddilynwyr rygbi Cymru ac i'r byd rygbi yn gyffredinol.

7

Camp Lawn o'r diwedd

RODD PENCAMPWRIAETH CHWE Gwlad 2004 yn siom, yn dilyn addewid perfformiade Cwpan y Byd rai misoedd cyn 'nny. A dweud y gwir rodd hi'n gyfnod digon cythryblus o ran clybie rygbi Cymru, gyda dadle a checru ynghylch uno clybie i ffurfio time rhanbarthol a do's dim dwywaith bod hynny wedi ca'l rhywfaint o ddylanwad ar berfformiade'r tîm cenedlaethol. Fe gafwyd dechre addawol, gyda buddugoliaeth dda yn erbyn yr Alban yng Nghaerdydd ond wedyn fe gollon ni'r tair gêm nesa yn erbyn Iwerddon, Ffrainc a Lloegr. Ro'n i ychydig bach yn siomedig taw ail ddewis o'n i o hyd i Gareth Cooper ond fe ges i gyfle i ddod i'r cae ymhob un o gême'r tymor hwnnw.

Gartre yn erbyn yr Eidal odd y gêm ola ac rodd y bois yn benderfynol o neud yn dda gan fod Steve Hansen wedi cyhoeddi ei fod e'n rhoi'r gore iddi fel hyfforddwr ar ôl y gêm honno. Rodd y fuddugoliaeth o 44 i 10 yn un ddisglair a ninne'n sgori chwe chais ond falle taw'r atgof mwya trawiadol odd ymateb y dorf i ymadawiad Steve wrth iddyn nhw weiddi ei enw ar ddiwedd y gêm. Er gwaetha nifer o ganlyniade siomedig yn ystod ei gyfnod wrth y llyw ro'n nhw fel petaen nhw'n sylweddoli bod Steve wedi gosod sylfeini solet, cyffrous ar gyfer y tîm cenedlaethol ac ro'n nhw am iddo wybod eu bod nhw'n gwerthfawrogi 'nny. Fe gafodd e amser caled, yn enwedig gan y wasg, ond pob clod iddo am fynnu taw fe odd yn iawn o ran darparu ar gyfer y tymor hir.

O ddyn na fydde'n amal yn dangos yn gyhoeddus sut rodd e'n teimlo, rodd Steve yn eitha emosiynol ar y diwedd, ar y cae ac yn y stafell newid wedyn. Fe ddiolchodd e i ni'r chwaraewyr am y gwaith caled ro'n ni wedi'i neud gan bwysleisio ein bod ni wedi gosod seiliau cadarn ar gyfer y dyfodol. Dwi wedi ca'l cyfle i siarad â Steve sawl gwaith ers iddo fynd 'nôl i Seland Newydd ac fe fydd e bob amser yn holi am y bois odd dan ei ofal e. Mae Cymru'n agos at ei galon e o hyd.

Er syndod i'r rhan fwya o ddilynwyr rygbi cafodd Mike Ruddock ei ddewis i fod yn hyfforddwr newydd y tîm cenedlaethol. Rodd pawb yn disgwyl taw Gareth Jenkins fydde'n dilyn Steve ac rodd 'na siom cyffredinol na chafodd e'r swydd. Do'n i ddim yn gyfarwydd â Mike ond ro'n i'n gwbod bod canmol mawr iddo am y gwaith da rodd e wedi'i neud gyda chlybie Abertawe, Leinster, Glyn Ebwy a'r Dreigiau. O ddod i'w nabod e dros y misoedd wedyn, ces i fe'n fachan ffein iawn ac rodd hi'n hawdd mwynhau ei gwmni.

Newidiodd fawr ddim o ran ffordd tîm Cymru o chware pan dda'th e i'r swydd. Wrth gwrs, rodd Scott Johnson yn dal yno a fe odd yn gweithio'n benodol gyda ni'r olwyr. Felly, do'n ni ddim yn profi dylanwad Mike yn uniongyrchol gymaint â 'nny. Yr argraff rodd rhywun yn ei ga'l odd ei fod e falle'n fwy traddodiadol na Steve, a fydde bob amser yn chwilio am ffyrdd i arbrofi. Bydde hi ddim bob amser yn dilyn bod dullie o'r fath yn mynd i barhau nac yn mynd i ga'l croeso gan y chwaraewyr ond rodd yn rhaid canmol Steve am ei weledigaeth wrth roi cynnig ar dactege newydd.

Her fawr gynta Mike odd mynd â thîm Cymru ar daith fer i'r Ariannin a De Affrica, 2004. Cyn gadel fe gethon ni fuddugoliaeth dda yn erbyn y Barbariaid ym Mryste, digwyddiad digon anghyffredin yn hanes diweddar y ddau dîm, odd yn argoeli'n dda ar gyfer y tair wythnos o daith. Ond, oherwydd anafiade, dodd sawl chwaraewr profiadol, fel Stephen Jones, Martyn Williams a Gareth Thomas ddim ar ga'l i chware, felly bydden ni'n siŵr o weld eu hisie nhw. Rodd hynny'n bendant yn wir yn y Prawf Cynta yn Tucumán, dinas o tua hanner miliwn o bobol rhyw 800 milltir o Buenos Aires. Ar wahân i'r brifddinas dyma'r ardal lle rodd rygbi ar ei gryfa yn y wlad ond na'th y lle ddim llawer o argraff arna i.

Ro'n i'n falch iawn 'mod i wedi ca'l 'y newis i ddechre'r Prawf Cynta hwnnw ond rodd perfformiad y tîm yn ddigon siomedig. Colli nethon ni, 50–44, ar ôl bod ar ei hôl hi o 50 i 21 ar un adeg. Falle ei bod hi'n galonogol ein bod ni wedi sgori pum cais ond yn anffodus fe sgorodd yr Ariannin chwech. Yr hyn odd yn corddi fwya odd ein bod ni'n gwbod ein bod ni'n well tîm na nhw ac ro'n ni'n benderfynol o neud yn well yn yr Ail Brawf. Fe fuon ni'n paratoi'n galed ac yn drylwyr ar gyfer y gêm honno ac fe gethon ni fuddugoliaeth dda o 35 i 20, gyda Gavin Henson a Shane Williams yn sgori bob o 15 pwynt.

Fe 'nes i fwynhau'r daith am ddau reswm. Yn gynta, ro'n i'n lico Buenos Aires yn fawr iawn. Ma hi'n ddinas hardd ac rodd ca'l treulio bron i bythefnos yno'n bleser. Yn ail, dwi wedi mwynhau chware yn erbyn yr Ariannin eriod. Maen nhw'n dîm sydd ddim, at ei gilydd, wedi ca'l y clod maen nhw'n ei haeddu. Maen nhw'n dîm cystadleuol dros ben, gyda blaenwyr rhyfeddol o gadarn fel Ledesma, Scelzo a Roncero, a chwaraewyr creadigol, talentog y tu ôl iddyn nhw fel yr wythwr Fernández Lobbe a'r olwyr Contepomi, Hernández a Pichot – mewnwr y byddwn i'n lico chware yn ei erbyn e bob amser.

O'r Ariannin fe ethon ni mlan i chware un gêm yn erbyn

De Affrica yn Pretoria yr wythnos wedyn, ac rodd hynny'n gamgymeriad mawr am sawl rheswm. Yn y lle cynta, fe gollon ni rai orie wrth deithio o un cyfandir i'r llall ac rodd y rhan fwya o'r bois erbyn 'nny wedi blino. Ro'n ni wedi bod gyda'n gilydd am fis, ar ddiwedd tymor caled, yn paratoi ar gyfer y daith. Yna ro'n ni'n gorfod ei gorffen hi yn ucheldiroedd Pretoria, lle mae'n cymryd amser i ddod i arfer â'r aer tene. Yn ail, fe gethon ni nifer o anafiade yn ystod y gêm, un i Alix Popham gyda'r bachwr Huw Bennett yn gorfod dod mlan i chware wythwr yn ei le. Cafodd Deiniol Jones a Nicky Robinson hefyd eu hanafu gan ei neud hi'n anodd iawn i ni fel tîm.

Y canlyniad odd inni ga'l ein chwalu, 53–18, gyda De Affrica'n sgori saith cais. Ond y farn gyffredinol odd bo' fi wedi ca'l gêm eitha da ac, fel y llwyddes i neud sawl gwaith wedyn yn erbyn y Boks, fe sgores i gais. Ond er y siom o golli mor drwm fe 'nes i fwynhau'r profiad o chware yn stadiwm enwog y Loftus Versfeld ac yn yr awyrgylch tanbaid rodd cefnogwyr brwd De Affrica yn ei greu yno. Ymhen pum mis ro'n i'n chware yn erbyn y Sbringboks eto yn Stadiwm y Mileniwm a'r tro hwnnw dethon ni o fewn trwch blewyn i'w maeddu nhw, gan golli o 38 i 36, a rhoi perfformiad graenus. Basen ni wedi ennill pe bai'r gêm wedi parhau am ddeng munud arall ond unwaith eto do'n ni ddim cweit yn ddigon da i ga'l y gore o un o dime mawr y byd rygbi.

Fe ges i 'newis i ddechre'r gêm honno a'r nesa yr wythnos wedyn yn erbyn Romania. Bydde rhai chwaraewyr yn cyfadde nad odd dim llawer o ots 'da nhw a fydden nhw'n chwarae yn erbyn tîm cymharol wan fel Romania ond ar y pryd ro'n i'n teimlo rhyw awch i adeiladu ar berfformiad addawol yr wythnos cynt yn erbyn De Affrica, yn enwedig gan y bydden ni'n cyfarfod â'r Crysau Duon yr wythnos ganlynol. A dyna ddigwyddodd wrth i ni sgori deg cais mewn buddugoliaeth o 66 i 7. Chawson ni eriod well siawns i faeddu Seland Newydd nag yn y gêm arbennig honno yr wythnos wedyn, gyda Chymru'n colli o un pwynt yn unig, 26–25. Er ei fod e'n berfformiad da rodd 'na deimlad o siom amlwg ymhlith Mike a'r chwaraewyr oherwydd ein bod ni'n gwbod unwaith eto y gallen ni, yr hydref hwnnw, fod wedi maeddu'r ddau dîm gore yn y byd ar y pryd. Ro'n ni cystal os nad gwell na nhw ar y diwrnod, ond fe gollwyd y cyfle.

Yn ôl y disgwyl, fe gafodd Cymru fuddugoliaeth hawdd yn erbyn Siapan, 98–0, i gloi rhaglen mis Tachwedd. Ro'n i i fod ar y fainc ond fe fu'n rhaid i fi dynnu 'nôl ar ôl ca'l y ffliw. Beth odd yn rhyfeddol am y gêm honno odd bod Gavin Henson wedi llwyddo i drosi pob cais – 14 i gyd. Rodd hyn yn brawf o'r talent aruthrol sydd ganddo fe. Ond yn anffodus dodd Gavin ddim bob amser yn teimlo fel dangos ei ddonie, yn enwedig pan fydde fe'n chware dros y Gweilch. Rodd hi'n fater o ga'l y person iawn i dynnu'r gore mas ohono, fel y llwyddodd Warren Gatland i'w neud, yn ystod y Gamp Lawn yn 2008. Yn wir, Gavin odd seren y gêm gynta yn erbyn Lloegr, ym Mhencampwriaeth y Chwe Gwlad yn 2005, wrth iddo gicio trosiad i sicrhau buddugoliaeth ddramatig o 11 i 9.

Rodd y bois i gyd ar dân ar gyfer y gêm honno ac yn awyddus i brofi bod yr ysbryd arbennig odd yn bodoli yng ngême'r hydref ar waith o hyd. Ro'n i mor falch 'mod i wedi ca'l 'y newis i ddechre'r gêm achos ro'n i'n sylweddoli, fel pob chwaraewr arall, ei bod hi'n flwyddyn dewis tîm y Llewod i fynd i Seland Newydd. Felly, po fwya o amser ro'n i ar y cae, gore oll odd 'y ngobeithion i o ga'l mynd ar y daith honno. Mantais arall wrth gwrs odd bod yn rhan o dîm odd yn neud yn dda, ac yn sicr rodd hynny'n wir am Gymru ar y pryd.

Fe gethon ni fuddugoliaeth dda yn erbyn yr Eidal yn Rhufain yr wythnos wedyn ond do's dim dwywaith taw'r gamp fawr y tymor hwnnw o'n rhan ni odd maeddu Ffrainc o 24 i 18 ym Mharis. Dechreuodd Ffrainc ar dân ac erbyn hanner amser ro'n nhw ar y blaen o 15 i 6, a ninne wedi colli'n capten, Gareth Thomas ar ôl iddo dorri ei fys bawd. Ond ni fu'n rheoli'r frwydr yn yr ail hanner, a hynny i'r fath radde nes i bobol ofyn i Mike Ruddock beth ddwedodd e wrth y tîm yn ystod hanner amser i'n hysbrydoli ni. Ateb Mike odd, "Dim llawer," oherwydd y person na'th y siarad yn y stafell newid odd Martyn Williams, y capten wedi i Gareth adel y cae, a hynny gyda geirie roiodd hwb i ni i gyd.

Yn ôl Martyn, rodd isie ymdrech arbennig ar ddechre'r ail hanner gan ei fod o'r farn taw'r tîm fydde'n sgori gynta fydde'n ennill y gêm, ac rodd e'n iawn. Cymru sgorodd gynta a Martyn ei hunan gafodd y cais. Yn wir, fe diriodd am gais arall wedyn i goroni'r fuddugoliaeth o 24 i 18. Er 'nny buodd pac Cymru o dan bwyse aruthrol yn ystod y munude olaf gyda nifer o sgrymie pum metr ar linell Cymru a'r rheini'n disgyn. Ond, diolch byth, rodd Paul Honiss y dyfarnwr yn gallu gweld bod rheng flaen Cymru, sef Robin McBryde, John Yapp – rodd y ddau newydd ddod i'r cae ac yn ysu am y frwydr – a Gethin Jenkins, yn ildio dim ac mai pac y Ffrancwyr odd o dan bwyse, er eu bod nhw mewn safle ymosodol. Rodd hi'n ymdrech ardderchog ac ro'n ni i gyd yn gwbod ar ôl y gêm honno bod gobaith go lew 'da ni o ennill y Gamp Lawn.

Rodd y fath fuddugoliaeth yn haeddu dathliad ac fe nethon ni'n fawr o'r cyfle, yn enwedig gan ein bod ni'n gwbod na fydden ni'n chware eto yn y Bencampwriaeth am bythefnos arall. Ond dodd Robin ddim yn teimlo'n ddigon da i neud 'nny, gan ei fod e wedi gorfod aros yn ei stafell i orffwys ei goes ar ôl ca'l cnoc gas yn ystod y gêm. Felly fe benderfynodd Stephen a fi, wedi i ni fod yn mwynhau'r croeso mewn clwb bach ar bwys y gwesty tan yr oriau mân, y dylen ni alw i weld shwd odd Robin er mwyn iddo ga'l ymuno â ni yn ein llawenydd… am dri o'r gloch y bore!

Dwedodd Gareth Edwards rywdro taw'r hanner gore o rygbi rodd e wedi gweld Cymru yn ei chware eriod odd yr hanner cynta hwnnw yn erbyn yr Alban, yn Murrayfield yn y gêm nesa. Mae'n rhaid i fi ddweud taw hwnnw odd yr hanner gore o rygbi y ces i ei chware eriod wrth wisgo crys Cymru. A'th popeth fel wats ar y cae y diwrnod hwnnw. Pan odd rhywun yn taflu pas sha 'nôl dros ei ysgwydd, heb weld yn iawn ble rodd y bêl yn mynd, fe fydde rhywun yno bob amser i'w dala hi. Pan fydde un o'r tîm yn bylchu, fe fydde rhywun wrth ei ysgwydd i dderbyn y bêl. Erbyn hanner amser ro'n ni'n ennill 38–3 ac, yn naturiol, fe ddechreuon ni lacio'n gafael ar y gêm yn ystod yr ail hanner, a manteisiodd yr Alban ar 'nny. A dweud y gwir, mae'n siŵr bod ein meddylie ni ar y Gamp Lawn ac ar y gêm nesa yr wythnos wedyn. Ond rodd y fuddugoliaeth yn un swmpus, 46–12, a ninne'n sgori chwe chais.

Rodd mynd i mewn i'r gêm olaf honno yn erbyn Iwerddon yn brofiad cwbl wahanol i ni i gyd. Dodd neb yn y garfan wedi bod mewn sefyllfa o chware i ennill y Gamp Lawn o'r blan. Ac rodd yr wythnos honno'n arwain at y gêm yn sbesial iawn. Rodd y wasg a'r cyfrynge ar dân ac yn ôl y sôn rodd dilynwyr rygbi yng Nghymru yn ysu am ein gweld ni'n cyflawni rhywbeth nad odd wedi digwydd ers 27 mlynedd. Ma'n debyg bod 'na dipyn o densiwn yn y wlad yn gyffredinol ond fe na'th y tîm rheoli waith ardderchog o'n gwarchod ni rhag yr holl sylw a'r pwyse. Rodd papure newydd fel y *Western Mail* yn arwain yr heip ond fe fydda i'n cadw'n glir rhag eu darllen nhw ar adege fel 'na. A dweud y gwir fe fydda i'n trio osgoi'r papur hwnnw, gan fod ei agwedd e'n tueddu i fod braidd yn negyddol yn 'y marn i, a'r dadansoddi'n siomedig.

Ar ôl dod 'nôl i'r Vale o'r Alban ar y nos Sul fuon ni ddim yn ymarfer tan y dydd Iau. Cyn 'nny, rodd yr hyfforddwyr wedi trefnu stafell arbennig yn y gwesty lle rodd gwelyau a setie teledu inni gael ymlacio yn ystod y dydd. Fe gethon ni ambell gêm fach o golff i dorri ar yr undonedd a dadansoddiad byr o'r hyn ddigwyddodd yn erbyn yr Alban. O'r dydd Llun tan y dydd Mercher, ar wahân i gynnal rhagolwg o'r gêm yn erbyn Iwerddon y dydd Sadwrn hwnnw, fuodd dim sôn o gwbwl am y Gamp Lawn na'r dasg odd o'n blaene ni. Pan dda'th hi'n amser ymarfer ar y dydd Iau ro'n ni i gyd yn teimlo'n ffres ac yn ysu am gael trafod pêl. Dodd yr ymarfer hwnnw ddim hanner mor galed ag arfer a'r cyfan nethon ni odd chware tamed bach o *touch rugby*. Ar y dydd Gwener fe gethon ni 'ymarfer capten' byr, a dyna i gyd, gan fod pawb yn gwbod bod y gwaith caled wedi'i neud ymhell cyn 'nny.

Fe godes i'n gynnar iawn ar y bore Sadwrn, yn wahanol i'r arfer, ac fe ethon ni'r olwyr drwy ychydig o symudiade tra buodd y blaenwyr yn ymarfer y llinelle. A dyna ni, ro'n ni'n hollol barod amdani ac yn edrych mlan yn eiddgar at y gêm. Rodd y gwesty'n ferw gwyllt y bore hwnnw, yn llawn cefnogwyr a gohebwyr. Yna, tua 11 o'r gloch, cyrhaeddodd Jess a'r gwragedd a'r partneriaid erill, a ninne'n neud yn siŵr bod y trefniade ar eu cyfer nhw i gyd yn eu lle. Hedfanodd yr amser ac yna i mewn â ni i ferw dinas Caerdydd, yn daer i weld y frwydr yn dechre.

Chwaraeon ni'n dda, mewn gêm llawn tensiwn, ond heb gyrraedd yr uchelfanne a welwyd yn erbyn yr Alban. Rodd Iwerddon ar ei hôl hi am y rhan fwya o'r 80 munud ond er eu bod nhw wastad yn fygythiad dwi ddim yn meddwl inni golli gafel ar y gêm ar unrhyw adeg. Pan ddath y fuddugoliaeth, 32–20, rodd hi'n foment i'w thrysori. Buon ni'n dathlu yn y Stadiwm am tua awr a hanner ar ôl y gêm. Da'th ein teuluoedd i mewn aton ni i'r stafell newid a buodd pawb wrthi'n tynnu llunie gyda Thlws y Bencampwriaeth.

Rodd cinio ffurfiol y noson honno yng Ngwesty'r Hilton ac fe gymerodd hi dri chwarter awr i fŷs y tîm frwydro'i ffordd o'r Stadiwm i'r gwesty gan fod y strydoedd yn dew o gefnogwyr yn cymeradwyo'n frwd, ac weithe hyd yn oed yn siglo'r bỳs! Rodd 'da fi eitha syniad o shwd odd y Beatles yn teimlo slawer dydd! Rodd yr un ewfforia i'w weld o gwmpas gwesty'r Hilton a buodd yn rhaid i ni ga'l ein smyglo i mewn trwy'r drws cefen, lle cafodd rhyw fath o goridor o warchodwyr ei ffurfio fel bod modd i ni i fynd mewn yn ddiogel.

Yn dilyn y cinio fe ethon ni i gyd i barti arbennig odd wedi'i drefnu ar ein cyfer ni gan gwmni Bragdy Brains. Aeth hwnnw mlan tan orie mân y bore ac fel y gallwch chi ddychmygu rodd y rhan fwya ohonon ni dan ddylanwad y dathlu mawr erbyn i ni gyrradd 'nôl i'r Vale. Yn anffodus, rodd Cynhadledd i'r Wasg wedi'i threfnu ar gyfer 9.30 y bore Sul ond dodd dim cyflwr rhy dda ar y bois na'th fynd iddo. Y bore hwnnw hefyd fe na'th y rhaglen deledu *Scrum Five* gyfweliade gyda'r rhan fwya o'r chwaraewyr ond yn ôl y sôn rodd shwd bicil ar y bois fe ffaelodd y cynhyrchwyr â defnyddio'r rhan fwya ohonyn nhw!

Diolch byth ces i ychydig o ddyddie bant gan y Scarlets yn dilyn y penwythnos hwnnw ond ar y dydd Gwener canlynol rodd rhaid hedfan i Ddulyn i chware yn erbyn Leinster. Yn ffodus, dodd dim gofyn i fi adel y fainc i chware'r nosweth honno ond rodd hi'n amlwg bod bwrlwm y Gamp Lawn wedi'n dilyn ni i'r maes awyr. Rodd nifer o gefnogwyr yno yn gofyn i fi dynnu lluniau gyda nhw a llofnodi eu rhaglenni, ac ro'n i'n teimlo'n browd iawn o'r hyn rodd y tîm wedi llwyddo i neud.

Rodd y llwyddiant hwnnw yn gyfuniad o ymdrechion. Ro'n i'n falch o'r clod gafodd Mike am y ffordd rodd e wedi'n tywys ni ar hyd y tymor ond dwi'n siŵr y bydde fe'n cytuno bod y gwaith caled wedi'i neud yn ystod y blynydde cynt, o dan Steve Hanson yn enwedig. Rodd e'n credu'n gryf mewn chware gêm 15 dyn, a phwyslais ar ledu'r bêl ymhlith holl chwaraewyr y tîm. Rodd rhywfaint o ofid, wedi iddo fynd, y bydde Mike yn fwy traddodiadol ei agwedd at hyfforddi gan dueddu i neilltuo rhanne arbennig o'r chware i'r blaenwyr a rhanne erill i'r olwyr o ran y chware cyffredinol. Ond er tegwch i Mike, fe gadwodd yr hen batryme, gan gyflwyno hefyd yr arbenigrwydd odd ganddo fe o ran y llinelle a'r sgrymie. Ar ben 'nny, fe roiodd e ryddid i ni fynegi'n hunen ar y cae fel ro'n ni'n gweld ore, odd yn bwysig iawn i'r chwaraewyr ifainc yn enwedig. Y canlyniad odd tymor tu hwnt o lwyddiannus a ffordd o chware odd yn ysgubol o gyffrous.

8

Llewod 2005

AR ÔL CA'L tymor cystal, rodd gobeithion llawer o fois tîm Cymru o fynd ar daith y Llewod 2005 yn uchel, yn enwedig o gofio bod Clive Woodward yn bwriadu mynd â 44 o chwaraewyr i Seland Newydd. Rodd e wedi bod yn bwrw golwg ar wahanol chwaraewyr ers misoedd a phan dda'th e lawr i'r Strade ym mis Hydref 2004 i drafod gyda Gareth Jenkins y posibilrwydd o'i gynnwys e'n rhan o'r tîm hyfforddi i fynd i Seland Newydd fe dda'th i weld y Scarlets yn chware yn erbyn Toulouse yn y Cwpan Heineken. Fe ges i 'newis yn chwaraewr gore'r gêm ac fe dynnodd Clive sylw at hynny mewn cyfweliad teledu ar ôl y gêm. Wedyn fe dreuliodd e wythnos gyda thîm Cymru wrth i ni baratoi i wynebu'r Crysau Duon. Ces i gêm eitha da yn eu herbyn nhw hefyd, a chyn 'nny yn erbyn De Affrica, ac yna ca'l 'y newis yn 'seren y gêm' yn erbyn yr Alban a'r Iwerddon. Felly rodd 'y ngobeithion i o ga'l mynd i Seland Newydd gyda'r Llewod yn eitha uchel.

Pan gyhoeddwyd enwe carfan y Llewod yn fyw ar y teledu ro'n i'n ymarfer gyda bois y Scarlets. Ro'n i wrth gwrs yn bles ofnadw a dyna odd uchafbwynt 'y ngyrfa fel chwaraewr rygbi, fel buodd ca'l 'y newis i'r Scarlets ac i Gymru am y tro cynta. Y prynhawn 'nny ar y Strade fe dderbynies i longyfarchion o bob cyfeiriad ond rodd hi damed bach yn lletwith achos rodd Simon Easterby yn eistedd wrth 'yn ochr i. Dodd e, yn anffodus, ddim wedi ca'l ei ddewis, felly ro'n i'n teimlo'n flin drosto fe – ond fe gafodd e alwad i ymuno â charfan y Llewod yn ystod y daith. Es i gartre i fod gyda'r teulu ac fe alwodd rhyw gant o bobol yn y tŷ i'n llongyfarch i, a finne'n gwerthfawrogi 'nny'n fawr.

Rodd tipyn o rygbi ar ôl i'w chware o hyd yng nghrys y Scarlets. Ro'n i wedi ca'l rhediad da yng Nghwpan Heineken ac wedi cyrradd rownd gyn-derfynol y Cwpan Celtaidd. Mae rhywun yn teimlo'n eitha petrus ar ddiwedd pob tymor, yn enwedig y tymor hwnnw, gan fod angen trio osgoi ca'l anaf fydde'n drysu'r cynllunie i fod yn rhan o daith y Llewod. Ac yn y gêm gyn-derfynol honno yn erbyn y Gweilch fe ges i glatsien ar 'yn ysgwydd 'da Brent Cockbain a gadwodd fi mas o'r rownd derfynol. Ond alla i ddim dweud 'mod i'n becso cymaint â 'nny am y peth, o styried y cyfnod cyffrous odd o 'mlan i.

Cafodd tri mewnwr arall eu dewis ar gyfer y daith, sef Matt Dawson, Chris Cussiter a Gareth Cooper. Y chwaraewr odd yn ca'l ei enwi fel yr un tebyca o gael ei ystyried fel y dewis cynta ar gyfer y crys rhif 9 odd Matt. Rodd e'n ffefryn gan Clive Woodward, yn enwedig gan iddo neud cyfraniad pwysig i lwyddiant Lloegr yng Nghwpan y Byd ddwy flynedd ynghynt. Ro'n i'n teimlo 'mod i falle wedi chware'n well na fe ym Mhencampwriaeth y Chwe Gwlad, felly 'mwriad i o'r dechre odd trio sicrhau taw fi fydde'r dewis cynta yn safle'r mewnwr yn y tîm Prawf.

Na'th tîm y Llewod ymgynnull yng Ngwesty'r Vale ac aros yno am rai wythnosau cyn gadel am Seland Newydd ac rodd hynny'n help mawr i'r Cymry deimlo'n gartrefol o'r dechre'n deg. Ro'n i fod rannu ystafell â Chris Balshaw ond rodd e wedi ffaelu ymuno â ni oherwydd anaf. Felly fe ges i stafell i fi'n hunan am ychydig odd yn dipyn o siom achos ma rhywun yn gallu bod am orie yn ei stafell heb unrhyw un arall i siarad ag e. Ond fe dda'th Brian O'Driscoll yn bartner i fi ac rodd e'n gwmni dymunol dros ben.

Ma'n draddodiad yn hanes teithie'r Llewod bod gweithgaredde'n ca'l eu trefnu, 'sesiynau bondio', i gynorthwyo aelode'r garfan i ddod i nabod ei gilydd. Yr un sy'n sefyll mas fwya i fi yw'r sesiwn actio y buodd yn rhaid i ni neud. Fe gethon ni'n rhannu'n grwpie, a cha'l y dasg o berfformio sgetsys am wahanol raglenni teledu, o flan y gweddill. Rodd rhai, ambell Sais odd wedi bod yn neud y fath beth mewn ysgol fonedd, wrth eu bodd â'r dasg, ond fe a'th hynny i lawr fel balŵn blwm ymhlith y Cymry. Ro'n ni'n ymladd ymhlith ein gilydd i ga'l chware rhan yr *extras* ymhob golygfa!

Yn wahanol i'r arfer yn hanes teithie'r Llewod dodd dim rhannu stafelloedd i fod yn ystod y daith – rodd gan bawb ei stafell ei hunan, odd yn drueni yn 'y marn i. Ro'n ni'n aros mewn tair canolfan drwy'r daith, sef Auckland, Wellington a Christchurch. Rodd hynny wrth gwrs yn lleihau'r dasg o godi pac o westy i westy ac ar yr orie sy'n cael eu gwastraffu mewn meysydd awyr. Ond rodd 'na anfanteision hefyd. Er mwyn chware'r gême taleithiol bydde'n rhaid i'r garfan a'r hyfforddwyr deithio'r diwrnod cynt i'r lleoliad ac yna'n teithio'n ôl i un o'r tair dinas fawr ar ôl y gêm. Fydde hynny ddim yn rhoi unrhyw gyfle i ni brofi'r awyrgylch arbennig odd i'w ga'l wrth aros mewn rhai o ardaloedd mwya anghysbell y wlad nac i gymysgu rhywfaint â'r bobol leol. Ar ben 'nny, pan fydde gêm brawf ar y gorwel bydde'r 'ail dîm', fel petai, a ddewiswyd i chware mewn gêm daleithiol, yn gadel y gweddill ac yn teithio yn garfan fach i leoliad y gêm, gan greu eu cymuned fach eu hunain.

Eto i gyd, falle bod y wasg wedi bod yn fwy beirniadol o'r patrwm hwn na'r garfan ei hunan. Mae'n wir iddyn nhw roi tipyn o sylw i anfodlonrwydd ambell chwaraewr, fel Gavin Henson, o ran y ffordd y cafodd y time eu dewis. Ac, ar ôl y Prawf Cynta, fe ddatblygodd rhyw deimlad o 'ni' a 'nhw' rhwng criw y gême mawr a bois y gême llai. Ond fuodd y mater ddim yn broblem rhwng y chwaraewyr â'i gilydd. Rodd 'na dipyn o dynnu coes am yr holl beth erbyn y diwedd, gyda'r 'ail' dîm yn cwblhau'r daith heb golli'r un gêm. Fe gethon nhw gryse-T arbennig i'w gwisgo odd yn cyhoeddi'r ffaith na chollson nhw'r un gêm. Fe fydden nhw'n eu gwisgo gyda balchder o'n blaene ni, y tîm Prawf, gan ein bod ni wedi bod yn gymharol aflwyddiannus. A dweud y gwir, rodd bois yr ail dîm yn griw hapus iawn ac yn amlwg yn ca'l tipyn o hwyl. Do'n nhw ddim dan yr un pwyse â charfan y tîm Prawf ac rodd agwedd hamddenol y ddau fu'n eu hyfforddi, Ian McGeechan a Gareth Jenkins yn ychwanegu at eu pleser.

Rodd tipyn o feirniadu wedi bod yn wreiddiol ynglŷn â'r ffaith fod Clive Woodward wedi mynnu ca'l 44 o chwaraewyr a 26 o staff wrth gefn ar gyfer y daith i Seland Newydd. Erbyn diwedd y daith, rodd 51 o chwaraewyr wedi cynrychioli'r Llewod. Dwi ddim yn meddwl bod y niferoedd yna'n afresymol o gwbwl, o gofio ein bod ni bant am ryw naw wythnos ac yn chware rygbi ar lefel odd gyda'r caleta yn y byd. Yn 'y marn i, rodd Clive yn hyfforddwr o flan ei amser ar lawer cyfrif, yn enwedig wrth ddewis y niferoedd o staff wrth gefn. Wedi'r cyfan, mae'n norm erbyn hyn i ga'l nifer tebyg o bobol i fod ynghlwm wrth y prif dime rygbi cenedlaethol wrth baratoi ar gyfer gême rhyngwladol. Ar gyfer Cwpan y Byd 2011 rodd gan ambell dîm fwy o staff wrth gefn nag o chwaraewyr.

Ymhlith y staff wrth gefn rodd Alastair Campbell, a fuodd am gyfnod yn Gyfarwyddwr Cyfathrebu i Tony Blair. Fe odd y Swyddog Materion Cyhoeddus ac rodd e'n gyfrifol am ymwneud y Llewod â'r wasg. Buodd llawer o feirniadu ar ei benodiad, gyda thipyn o sôn am ei ddiffyg profiad ym maes rygbi ac am y ffaith fod Clive Woodward wedi mynnu ca'l rhywun â phroffil mor uchel i neud y gwaith. Y gwir amdani, ma'n siŵr, odd bod bois y wasg Brydeinig yn gymeriade cryf a chanddyn nhw brofiad yn eu gwaith, ond ro'n nhw'n teimlo ychydig bach o dan fygythiad gan rywun â phersonoliaeth mor gryf ag Alastair Campbell. Ma'n wir iddo godi gwrychyn y wasg yn Seland Newydd hefyd yn enwedig pan driodd e arwain ymgyrch i atal Tana Umaga rhag chware am gyfnod wedi'r dacl waywffon enwog honno ar Brian O'Driscoll yn gynnar yn y Prawf Cyntaf.

Fe fydde Alastair yn cymysgu llawer â'r chwaraewyr ac am ryw reswm, dros bryd o fwyd gyda'r nos ac wrth ymlacio wedi 'nny, bydde fe gan amlaf yn neud pwynt o ddod i eistedd at y Cymry yn y garfan. Rodd e'n amlwg yn ca'l rhyw bleser o neud 'nny er nad odd e'n yfed alcohol o gwbwl. Rodd e wedi cyhoeddi iddo fod yn alcoholig flynydde cyn 'nny. Nid bod yr alcohol yn llifo ar y daith, yn wahanol, yn ôl pob sôn, i rai o deithie Llewod y gorffennol. Yn yr un modd, ro'n ni'r chwaraewyr yn mwynhau cwmni hwyliog Alastair yn fawr wrth iddo adrodd ei brofiade wrth ddelio â rhai o brif gymeriade'r byd gwleidyddol.

Yr hyn, o bosib, odd yn gyfrifol am y dynfa rhyngon ni a fe odd y ffaith ei fod e o gefndir digon tebyg i lawer ohonon ni'r Cymry. Rodd ei dad wedi bod yn filfeddyg yn Swydd Efrog ac yn Albanwr o Ynys Tiree odd yn siarad Gaeleg. Rodd Alastair ei hunan yn gynnyrch ysgol ramadeg ac er iddo fynd mlan i Gaergrawnt rodd e'n amlwg yn arddel ac yn gwerthfawrogi'r un gwerthoedd a safone sosialaidd â'r rhan fwya ohonon ni. Yn 'y marn i, fe na'th e reoli'r berthynas rhwng y Llewod a'r wasg yn effeithiol a phroffesiynol. Bydde fe hefyd yn cynnig cyngor gwerthfawr i'r chwaraewyr ynglŷn â'r ffordd y dylen nhw ymateb mewn cyfweliade a bydde fe bob amser yn barod i eistedd i drafod unrhyw fater gyda ni'r chwaraewyr.

Rheolwr y garfan odd Bill Beaumont, odd yn ddyn dymunol dros ben. Yn anffodus, chafodd e ddim llawer o gyfle i osod ei stamp ar y daith oherwydd bod Clive

Woodward yn tueddu i gymryd yr awene. Châi Bill ddim llawer mwy i neud na rhoi ambell araith mewn derbyniad yn dilyn gêm. Ond rodd hi'n hawdd gweld ei fod e'n ymwybodol o'r anrhydedd a gawsai wrth ga'l ei benodi i'r swydd. Ym marn rhai o'r swyddogion, bydde'r daith yn fwy llwyddiannus petai Clive wedi tynnu mwy ar brofiad helaeth Bill o'r byd rygbi.

Mae'n rhaid i fi gyfadde 'mod i wedi ca'l y teimlad bod y tîm hyfforddi wedi synhwyro pa chwaraewyr fydde yn nhîm cryfa'r Llewod o ddyddie cynnar y daith, yn enwedig wedi i fi ga'l 'y newis ar gyfer y gêm gynta yn erbyn Bay of Plenty. Rodd pawb am ga'l chware yn y gêm honno, am ddau reswm falle. Rodd hynny'n rhoi rhyw fath o arwydd o shwd odd y dewiswyr yn gweld pa chwaraewr odd wedi neud marc wrth ymarfer. Rodd e hefyd yn rhoi cyfle cynnar i'r chwaraewyr greu argraff. Cyflwynwyd y cryse i aelode'r tîm gan Gareth Jenkins ac rodd ei araith cyn i ni redeg mas ar y cae yn ysbrydoliaeth ffantastig. Do's dim rhyfedd inni fynd 17–0 ar y blan yn gynnar iawn. Fe ges i gêm fach dda, wrth i ni ennill yn y diwedd o 34 i 20, ac fe ffindes i Ronan O'Gara yn faswr rhwydd iawn i chware gydag e. Rodd yr ymarfer yn arwain at y gêm gynta honno wedi bod yn galed ac fe gethon ni sawl sesiwn gorfforol ar y cae, ond gan fod rhai chwaraewyr wedi ca'l anaf yn sgil yr ymarfer digyfaddawd hwnnw penderfynwyd y bydde'r pwyslais o hynny mlan ar ddrilie tîm.

Er mawr siom, yn y gêm nesa, collodd y Llewod o 19 i 13, yn erbyn tîm profiadol y Maoriaid, yn cynnwys deg chwaraewr odd wedi chware i'r Crysau Duon. Matt Dawson gafodd ei ddewis yn fewnwr a finne'n dod mlan o'r fainc yn hwyr yn y gêm. Fel y trodd pethe mas, ro'n i'n ddigon balch taw cyfraniad bach odd 'da fi i'w neud yn y gêm honno. Y diwrnod hwnnw rodd y rheng flaen fwya eriod yn hanes y Llewod yn chware, sef Andrew Sheridan, Steve Thompson, a Julian White ond fe gethon nhw wers galed gan Carl Hayman a'i fêts. Mewn gwirionedd, fe gollodd ambell un, fel Michael Owen a Martyn Williams, rywfaint o'u henw da fel blaenwyr yn wyneb y chwalad gath y pac, ac fe gymerodd hi ychydig o amser iddyn nhw frwydro 'nôl o'r ergyd honno.

Un gêm arall ges i cyn y Prawf Cynta, yn erbyn Wellington, a Jonny Wilkinson y tu fas i fi. Ro'n i'n falch dros ben o ga'l y cyfle i chware ochr yn ochr ag e ac ynte wedi cyflawni popeth odd yn werth ei gyflawni yn y gêm ac yn rhywun odd â delwedd 'chwedlonol' iddo fel petai. Rodd 'da fe rhyw deimlad angerddol at y gêm a dodd 'da neb agwedd fwy proffesiynol nag e. Rodd hi'n hawdd chware gydag e a allech chi ddim ca'l bachan mwy dymunol. Chwaraeon ni'n dda yn erbyn Wellington gan ennill o 23 i 6 a'r farn gyffredin odd taw dyna fydde'r tîm i wynebu'r Crysau Duon yn y Prawf Cyntaf. Ro'n i'n byw mewn gobaith.

Cafodd enwe'r rhai a gafodd eu dewis ar gyfer y Prawf eu darllen gan Clive, ac ro'n i wedi hurto o weld bod fy enw i yno. Unwaith eto, ro'n i wedi cyrradd carreg filltir arbennig arall yn fy ngyrfa fel chwaraewr rygbi. Dyma odd yr anrhydedd fwya eto. Rodd Dad wedi dod mas i ddilyn ein taith erbyn 'nny ac fe ges i rannu'r newyddion da gydag e, yn ogystal â cha'l nifer fawr iawn o negeseuon o Gymru yn fy llongyfarch i. Gwefr arall a ges i odd derbyn y crys rhif 9 ar gyfer y Prawf Cynta cyn y gêm oddi wrth Ian McGeechan.

Ma rygbi'n bwysig iawn i ni fel cenedl ond dyw e ddim hanner mor bwysig ag yw e i bobol Seland Newydd. Ma fe ar y teledu bob awr o'r dydd yno ac ma un sianel yn dangos dim ond rygbi drwy'r dydd. Pan gyrhaeddon ni'r wlad rodd y Crysau Duon newydd ennill Pencampwriaeth y 'Tri Nations' ac ro'n nhw'n dal i sôn am ddial am y siom gethon nhw wrth golli i'r Llewod ym 1971. Felly, rodd y wasg yn eitha llym arnon ni fel tîm drwy'r amser, gan drio roi pwyse mawr arnon ni yn y dyddie'n arwain at y Prawf Cyntaf. Ond rodd y croeso gan bobol y wlad yn wych.

Ro'n ni'n dod mlan yn dda gyda chwaraewyr y Crysau Duon hefyd. Chawson ni ddim llawer o gyfle i gymdeithasu â nhw ond ar ôl yr Ail Brawf yn Wellington fe ymgasglodd y ddwy garfan yn yr un bar, ac fe gethon ni nosweth dda iawn yng nghwmni'n gilydd. Falle bod hynny'n gyd-ddigwyddiad ond rodd shwd gyment o gefnogwyr o'r ddwy ochr yn llenwi pob bar yn y ddinas bron, rodd hi'n anodd i ni fel tîm ffindo unrhyw le y bydde modd ca'l nosweth fach dawel gyda'n gilydd. Rodd hi'n amlwg bod y Crysau Duon wedi ca'l yr un broblem a bod y bar lle cwrddon ni â'n gilydd yn ddamweiniol yn un o'r ychydig rai yn Wellington lle bydde cyfle i ga'l llonydd.

Ar wahân i'r wefr o ga'l rhedeg mas yn gwisgo crys y Llewod ar gyfer y Prawf Cyntaf a'r ffaith 'mod i wedi ca'l gêm fach nèt, dodd y diwrnod ddim yn un i'w gofio. Rodd y tywydd yn oer ac yn wlyb, yn bwrw cesair hyd yn oed. Cafodd y Crysau Duon lawer mwy o feddiant na ni ac ro'n nhw'n drech na ni ymhob agwedd ar y chware yn enwedig yn y pac, ac yn haeddu'r fuddugoliaeth o 19 i 3. Ond yr hyn aeth â sylw pawb odd y dacl erchyll ar ein capten ni, Brian O'Driscoll, ar ôl dwy funud yn unig o'r gêm, gan Tana Umaga a Kevin Mealamu, a dorrodd bont ei ysgwydd. Mae Brian yn chwaraewr ardderchog ac yn arweinydd ysbrydoledig ac ro'n i'n teimlo drosto fod ei daith wedi dod i ben mor gynnar ac mewn ffordd mor annheg. Rodd y digwyddiad yn ergyd fawr i'r tîm, o ran bygythiad yr olwyr ac o ran *morale*. Dwi ddim yn meddwl bod y Crysau Duon wedi targedu Brian yn fwriadol ond rodd y digwyddiad, yn enwedig o gofio beth ddigwyddodd i Sam Warburton yng Nghwpan y Byd 2011, yn haeddu cerdyn.

Dwedodd Clive Woodward ar ôl y Prawf Cynta taw tîm cryfa'r Llewod odd wedi chware yn y gêm honno ac yn cynnwys, yn ei eirie fe, y bechgyn odd wedi perfformio iddo yn y gorffennol, fel Neil Back a Richard Hill. Yna, yn ddigon od, fe na'th e naw newid ar gyfer yr Ail Brawf. Rodd y tîm hwnnw'n llawer ifancach ac yn cynnwys nifer o fois odd wedi disgleirio ar y daith, fel Lewis Moody, Simon Easterby a Ryan Jones – er mai wedi ymuno â'r garfan yn ddiweddarach na'r gweddill na'th y ddau ola. Ro'n i'n falch iawn o fod yn y tîm ond, unwaith eto, fe roiodd Seland Newydd dipyn o goten i ni, 48–18, gyda Dan Carter yn ca'l gêm wych. Erbyn y Trydydd Prawf dodd dim cymaint o awch yn y garfan tuag at y gêm odd i ddod ac ro'n i'n meddwl bod hyd yn oed Clive erbyn 'nny wedi colli diddordeb. Fe gollon ni o 38 i 19, gyda'r Crysau Duon yn sgori pum cais i un gan y Llewod. Oherwydd anafiade ffaelon ni ymarfer tan y dydd Iau ac rodd llawer o'r bois yn edrych mlan at fynd gartre. Dodd dim rhyfedd felly inni golli'r gêm honno hefyd.

Er 'nny, joies i bob munud o'r daith. Ro'n i'n meddwl 'mod i wedi chware'n eitha da ac ro'n i'n arbennig o bles 'mod i wedi ca'l 'y newis ar gyfer y tair gêm brawf, yr anrhydedd fwya y gall chwaraewr rygbi o Brydain ei ga'l. Ond rodd yn rhaid cyfadde'n bod ni wedi ca'l ein maeddu'n deg gan dîm lot gwell na ni. Bydden i'n dweud taw hwnna odd y tîm gore o Seland Newydd y chwaraees i yn eu herbyn nhw eriod. Ro'n nhw'n gorfforol, yn gryf ac yn ffit, er do'n nhw ddim yn fwy ffit na bois tîm Cymru ar y pryd. Yr hyn odd yn eu neud nhw'n wahanol odd eu sgilie gwych a'u hagwedd meddwl. Rodd 'da nhw rhyw argyhoeddiad odd yn dweud wrthyn nhw nad o'n nhw ddim i fod i golli. Ma hynny'n rhywbeth anodd i'w ddysgu ac mae tîm Cymru yn dal i ddiodde o hyd.

9

Ymadawiad
Mike Ruddock

Yn dilyn taith y Llewod 2005 dodd y chwaraewyr ddim i fod ailddechre chware tan yr hydref. Yr adeg honno, es i lan i Leeds i gynrychioli'r Scarlets a theimlo nad odd 'y nghoes i'n iawn. Ar y dydd Llun wedyn, ar ôl sesiwn ymarfer ar y Strade, ro'n i'n ca'l trafferth cerdded. Ar ôl dod 'nôl o Seland Newydd bues i'n cadw'n heini trwy redeg tipyn ar y trac beicio yng Nghaerfyrddin. Ma'n debyg bod wyneb caled y trac o dan draed wedi neud i ddarn o asgwrn ddod yn rhydd yn 'y mhigwrn i a bod angen llawdriniaeth arna i. Ma'n siŵr hefyd bod y flwyddyn galed o rygbi, yn enwedig taith y Llewod, wedi gadel ei hôl. Dwi'n credu bod y rhan fwya o garfan Cymru a a'th gyda'r Llewod wedi gorfod ca'l rhyw fath o lawdriniaeth yn dilyn y daith. Dechreues i chware eto ym mis Rhagfyr 2005 ond dodd dim llawer wedi newid o ran cyflwr y droed a bues i'n cario'r anaf am sbel.

Do'n i ddim yn ddigon iach i chware i Gymru yng ngême'r hydref ond fe ges i 'newis yn erbyn Lloegr yng ngêm gynta'r Chwe Gwlad ym mis Chwefror 2006. Er gwaetha llwyddiant y tymor cynt rodd ysbryd digon anhapus yn y garfan. Scott Johnson odd yn gyfrifol am ein hyfforddi ni'r olwyr a Mike Ruddock fydde'n cymryd y pac ond erbyn 'nny rodd y blaenwyr yn ymddangos yn anfodlon â'i hyfforddiant. Rodd rhai ohonyn nhw'n achwyn nad o'n nhw'n ca'l digon o sylw gan Mike a bod gormod o gyfrifoldeb arnyn nhw fel unigolion yn y sesiyne ymarfer.

Er inni golli'n drwm yn erbyn Lloegr fe gethon ni fuddugoliaeth dda yn erbyn yr Alban yng Nghaerdydd a finne'n bles iawn o ga'l 'y newis yn chwaraewr gore'r gêm. Ond, o fewn dau ddiwrnod, rodd Mike wedi ymddiswyddo gan roi cythrel o sioc i bawb ohonon ni odd yn ymwneud â thîm Cymru. Dwi'n cofio iddo ddod i mewn i Westy'r Vale ar y bore Llun yn dilyn gêm yr Alban a finne'n ca'l sgwrs fach gydag e ar ôl y sesiwn ymarfer, tra o'n i'n gweitho ar 'y nghyfrifiadur. Erbyn diwedd y dydd rodd e wedi gadel ac ar y dydd Mawrth fe gethon ni'r chwaraewyr wybod yn swyddogol ei fod e wedi ymddiswyddo. Hyd y dydd heddi dyw'r rheini odd ynghlwm â'r garfan ddim callach pam yn gwmws a'th e. Dodd y farn taw pŵer a llais y chwaraewyr odd wedi'i orfodi fe i adel ddim yn wir o gwbwl.

Ond, yn rhyfedd iawn, dodd dim rhyw gynnwrf mawr ymhlith y chwaraewyr wedi iddo fynd. Dwi wedi gweld hyfforddwyr yn gadel sawl gwaith, ac fel arfer bydd y chwaraewyr yn bwrw iddi ar unwaith o dan rywun newydd heb lawer o ffwdan. O'n rhan ni, dyna ddigwyddodd yn yr achos yma, gyda Scott Johnson yn cymryd yr awene dan amgylchiade anodd. Ond fe gafodd e ei drin yn shimpil iawn yn ystod y cyfnod hwnnw gan y wasg a'r cyfrynge. Fe gafodd ei feio am fod yn rhy agos at y chwaraewyr a'i fod e, felly, wedi bod yn rhannol gyfrifol am ymadawiad Mike wrth iddyn nhw drio ei wthio fe mas. Rodd hynny, wrth gwrs, yn gelwydd noeth. Do's dim dwywaith bod Mike yn boblogaidd iawn gan y wasg. Wedi'r cyfan, rodd e wedi bod yn gyfrifol am ennill y Gamp Lawn y flwyddyn cynt, rodd e'n Gymro twymgalon ac yn un fydde bob amser yn siarad yn dda mewn cyfweliad. O ran y tîm, ei gyfraniad mawr e odd gadel i'r bechgyn chware fel ro'n nhw'n gweld ore, gan roi rhyddid iddyn nhw fynegi eu hunen ar y cae, heb eu caethiwo nhw ag unrhyw systeme penodol.

Fe gollon ni'r gêm nesa'n drwm yn erbyn Iwerddon, odd i'w ddisgwyl o ystyried yr holl bwyse odd bellach ar y tîm. Arwydd o hynny odd ymddangosiad Gareth Thomas ar y rhaglen *Scrum Five* i geisio achub cam y chwaraewyr a Scott Johnson rhag y cyhuddiadau di-sail odd yn ca'l eu neud yn eu herbyn nhw. Yn 'y marn i, ddyle fe byth fod wedi ymddangos ar y rhaglen. Wrth ei weld e ar y teledu rodd hi'n amlwg nad odd e'n ddyn iach, ac fe gafodd hynny ei gadarnhau wrth iddo ga'l ei ruthro i'r ysbyty ar ôl gadel y stiwdio.

Ar ôl dim ond wyth munud o'r gêm yn erbyn yr Eidal fe ges i anaf ar 'yn ysgwydd ac fe fu'n rhaid i fi adel y cae. Rodd yr anaf i'r goes ges i ar ddechre'r tymor yn dal i roi trafferth ac ychydig iawn o gême ges i i'r Scarlets ar ôl chware yn erbyn yr Eidal, felly fe benderfynes fynd am lawdriniaeth unwaith eto. Erbyn hyn, rodd Gareth Jenkins wedi ca'l ei benodi yn hyfforddwr y tîm cenedlaethol, penderfyniad odd yn boblogaidd gan bawb. Rodd e wedi cyflawni cyment gyda'r Scarlets ac yn llwyr haeddu'r cyfle. Wedi'r cyfan, fe odd y ffefryn ar gyfer y swydd honno pan gafodd Mike Ruddock ei chynnig hi. Rodd e'n berson dymunol dros ben a chanddo ddawn arbennig wrth drin chwaraewyr.

Eto, dechre braidd yn siomedig gafodd Gareth wrth y llyw wrth iddo arwain Cymru ar gyfer dwy gêm mas yn yr Ariannin yn erbyn y Pumas ym Mehefin 2006. Rodd y gynta yn eitha agos, gyda'r Ariannin yn ennill 25–27, ond rodd yr ail yn fuddugoliaeth eitha rhwydd i'r tîm cartre, o 45 i 27. Falle nad odd Gareth yn rhy siomedig o gofio bod tua 20 o chwaraewyr carfan Cymru wedi ffaelu teithio am wahanol resymau. Ro'n i'n ddigon iach erbyn yr hydref ac fe ges i 'newis i chware i Gymru yn erbyn Canada, odd yn fuddugoliaeth ddigon rhwydd i ni, ac yna ar gyfer y gêm gyfartal yn erbyn Awstralia. Stori wahanol odd y gêm nesa wrth i ni unwaith eto golli'n drwm yn erbyn y Crysau Duon o 10 i 45 ac o bum cais i un.

Ond fel y digwyddodd hi, nid am y canlyniad y cafodd y gêm ei chofio yn benna, ond am y ffrae a gododd oherwydd bod Undeb Rygbi Cymru wedi mynnu bod yr antheme'n ca'l eu canu ar ôl yr *haka*, yn hytrach na cha'l y gic gynta yn syth ar ôl y ddefod. Gwrthododd y Crysau Duon blygu i ddymuniad yr Undeb ac fe berfformon nhw'r ddawns yn y stafell newid cyn dod mas i'r cae. Do'n ni'r chwaraewyr ddim yn rhan o'r drafodaeth a fu cyn yr achlysur ac rodd yr Undeb yn ffôl i drio newid y patrwm arferol. Mae'r *haka* yn rhan o theatr a thraddodiad y gêm ac yn ddigwyddiad ma'r dorf bob amser, yn y cae ac ar y teledu, wrth eu bodd yn ei wylio.

Dwi'n credu i'r Undeb ga'l y syniad o sylw wnaeth Clive Woodward yn 2004 pan ddwedodd e y bydde pob un o chwaraewyr Lloegr bob amser yn gwisgo ei dracwisg wrth wynebu'r *haka*. Wrth i Loegr fynd i'r ystlys a chymryd eu hamser i dynnu'r tracwisg bydde hynny'n rhwystro'r Crysau Duon rhag cael y fantais o fynd yn syth o ferw a chyffro'r ddawns i'r gic gynta. Ar y diwrnod dan sylw, a ninne'r chwaraewyr yn gwbod dim am benderfyniad yr ymwelwyr, fe droeson ni tuag at ganol y cae ar ôl yr antheme er mwyn paratoi i wynebu'r *haka*. Yna, fe welson ni lunie o'r Crysau Duon ar y sgrin fawr yn neud y ddawns yn y stafell newid cyn dod mas i'r cae. I rwbio halen ar y briw fe ethon nhw mlan i sgori 20 pwynt yn y deng munud cynta!

Fe gethon ni ddechre trychinebus i'r Chwe Gwlad yn 2007, gan golli'r pedair gêm gynta. Dodd yr ail, bant yn erbyn yr Alban, ddim yn gêm gofiadawy o gwbwl, gyda Chris Paterson yn cico saith gôl gosb i'r tîm cartre a Stephen Jones yn cico tair i ni. Ond rodd yr achlysur yn un arbennig i fi'n bersonol achos enilles i 'yn 50fed cap y diwrnod hwnnw. I ddathlu'r garreg filltir fe drefnodd bois tîm yr Alban ein bod ni i gyd yn mynd mas am beint neu ddau wedi'r gêm. Wedi'r cyfan, fydden ni ddim yn chware eto yn y Bencampwriaeth am bythefnos, felly alle dim drwg ddod o ga'l rhyw ddiferyn bach.

Wel, os do fe! Ar y dydd Llun, rodd yr hanes wedi cyrradd y *Western Mail* ac fe na'th y papur fôr a mynydd o'r digwyddiad. Rhag ein cywilydd ni, yn mynd mas ar sbri i nodi'r ffaith ein bod ni wedi chware mor wael ac wedi siomi cyment o gefnogwyr odd wedi bod yn casglu eu ceinioge prin i neud y daith bell lan i'r Alban. Ar ben 'nny, ro'n ni ar ganol tymor y Chwe Gwlad, a ninne mas yn dathlu colli'r ddwy gêm gynta! Dyna odd neges y stori. Ar y pryd hefyd da'th Gareth Jenkins o dan lach y *Western Mail* er, yn eironig, y papur hwnnw fu'n arwain ymgyrch dros benodi Gareth i'r swydd. Bellach, rodd y papur yn barod i neidio ar unrhyw ddigwyddiad, fel y 'dathliad' 50fed cap, yn esgus i feirniadu'r hyfforddwr.

Colli odd ein hanes ni yn erbyn y Ffrancwyr er i ni sgori 21 pwynt a chroesi am dri chais, sef un yn fwy na'r tîm cartre. Fe chwaraeon ni'n dda ond rodd Ffrainc ar eu gore ac fe ethon nhw mlan i ennill y Gamp Lawn y flwyddyn honno. Gêm Ffrainc ym Mharis yw un o'n hoff achlysuron i yng nghalendr y Chwe Gwlad. Mae awyrgylch gwych yn Stade de France a dwi'n dwlu ar fywyd Paris. Un peth yn arbennig dwi'n lico yw'r ffaith na fyddech chi byth yn gwbod bod gêm ryngwladol yn ca'l ei chynnal yno o gwbwl, sy'n rhoi rhywfaint mwy o lonydd i'r chwaraewyr fwynhau'r ddinas. Do's dim byd yn well 'da fi na phrofi bywyd y *cafés* gan edrych ar y byd yn mynd heibio. Y tro hwnnw rodd 'da ni reswm arall dros fentro mas i'r *boulevardes*. Rodd Stephen wedi bod yn chware mas yn Ffrainc yn ystod y ddau dymor blaenorol ac yn honni ei fod e'n gallu siarad Ffrangeg. Felly, fe fuon ni'n cymryd diléit mawr mewn gwrando ar Stephen yn trio cyfathrebu â staff y gwahanol lefydd ac yn tynnu ei goes e'n gyson. Ond, rhaid cyfadde bod tipyn o siâp ar ei sgilie ieithyddol e.

Unwaith eto, nid oherwydd safon y rygbi a gafodd ei chware yn erbyn yr Eidal yn Rhufain y bydd y gêm honno yn sefyll mas i fi. Bydd y rhan fwya o gefnogwyr yn cofio 'brad' y dyfarnwr, Chris White! Reit ar ddiwedd y gêm fe nododd e, ar ôl rhoi cic gosb i Gymru, a alle fod wedi dod â thîm Cymru yn gyfartal, bod amser i gymryd lein, yn agos i linell gais yr Eidalwyr, pe bydde Cymru'n dewis cico at yr ystlys yn hytrach nag at y pyst. Bydde cyfle wedyn i fynd am gais ac, o bosib, ennill y gêm. Ond fel ma pob cefnogwr gwerth ei halen yn cofio, pan a'th y bêl dros yr ystlys fe chwythodd Chris White i ddod â'r gêm i ben!

Yn 'y marn i, dodd dim gwahaniaeth beth odd Chris White wedi'i ddweud, ro'n ni wedi ca'l digon o bêl i ennill y gêm honno. Fe ddefnyddion ni'r tactege anghywir. Fe gymerodd hi ormod o amser i ni sylweddoli bod yr Eidalwyr, yn y llinelle ar ein pêl ni, yn tynnu dau flaenwr mas a'u rhoi nhw ymhlith yr olwyr er mwyn cryfhau'r amddiffyn. Yn hytrach na gyrru mlan â'r bêl o'r llinelle, â'r Eidal ddau ddyn yn brin yno, fe fuon ni am ormod o amser yn rhoi'r bêl mas yn gyson, ac yn ca'l ein rhwystro rhag torri trwodd.

Ro'n i'n teimlo dros Stephen y diwrnod hwnnw. Fe odd y capten ac rodd e wedi bod o dan y lach gan y rheini odd yn barnu taw James Hook ddyle ga'l ei ddewis yn safle'r maswr. Yn ystod yr hanner cynta rodd e'n gorwedd ar y llawr ar ôl taclo Parisse pan ollyngodd Mauro Bergamasco ergyd gas ar ei lygad nes ei fod e'n gweld sêr – trosedd a gosbwyd ar ôl y digwyddiad, ac atal yr Eidalwr rhag chware i'w wlad am dair gêm. Cymerodd hi dipyn o amser i Stephen ddod at ei hunan a buodd yn rhaid iddo adel y cae a cha'l pwythe yn y diwedd. Dodd e ddim yn teimlo'n

Fi a Tad-cu, Bert Peel, ar fore Nadolig 1981. Y diwrnod wedyn, bu farw Tad-cu ar ôl ca'l ei daro'n wael wrth wylio gêm Scarlets ar y Strade.

Esgus bod yn Kenny Dalglish!

Barod i redeg yn y Sosban Fun Run pan o'n i'n saith oed.

Yn gwisgo crys tîm Y Tymbl dan 11. Da'th y crys i ffito'n iawn ma's o law!

Fi, gyda'r bêl yn 'y nwylo, yn chware i dîm Y Tymbl dan 11.

Tîm Clwb Criced Drefach dan 12, a finne sy ail o'r dde yn y rhes ganol.

Carfan Saith Bob Ochr Mynydd Mawr ar Barc yr Arfau, a finne ar y pen ar y dde yn y rhes flaen.

Tri o Ysgol Maes Yr Yrfa yn cynrychioli tîm criced Dyfed (fi, Mark 'Seagull' Jones ac Aled Morgan).

Ar daith rygbi i Ganada, ar ôl gadel Ysgol Maes Yr Yrfa, gyda'r hyfforddwr, John Beynon. Fi yw'r ail o'r dde yn y rhes flaen.

Tîm Clwb Criced Drefach dan 14, a finne'n gwisgo cap – y trydydd o'r chwith yn y rhes ganol.

Tîm Ysgol Maes Yr Yrfa dan 16 a finne'n gwisgo crys Cymru dan 16 wrth ochr y prifathro. Yn y rhes gefn ar y chwith, ma John Beynon, yr athro odd yn ein hyfforddi ni. Yn y rhes gefn ar y dde ma Nigel Owens, odd yn gweitho yn yr ysgol. Y bachgen arall sy'n gwisgo crys Cymru yw Mark 'Seagull' Jones.

Tair cenhedlaeth. Dad, fi a Tad-cu, Ronnie Hancock (Dats), ar achlysur 'y nghap cynta i Gymru dan 16 oed, ar Gae'r Bragdy ym Mhenybont ar Ogwr.

Tîm Cymru yn erbyn Siapan yn Tokyo, 17 Mehefin 2001, ar achlysur ennill 'y nghap cynta, a finne yw'r pedwerydd o'r dde yn y rhes gefn.

Stephen, Robin a fi ar ôl maeddu'r Eidal yng Nghwpan y Byd 2003, yn dathlu ein bod ni drwyddo i rownd yr wyth olaf.

Carfan y Llewod yng Ngwesty'r Vale ym mis Mai 2005 cyn 'madel am Seland Newydd. Dwi'n sefyll yn y rhes gefn ond un, rhwng Gordon D'Arcy a Shane Byrne.

Yn dilyn y gêm yn erbyn yr Alban ar 10 Chwefror, 2007 wedi i fi ennill 'yn 50fed cap dros Gymru.

Cyfeillgarwch carfan Cymru. Martyn Williams, Tom Shanklin, fi a Stephen yn dathlu ar ôl canlyniad boddhaol.

Yng nghrys Sale y llynedd, sy'n ca'l eu noddi gan fanc yn America.

Mewn lliwiau anghyfarwydd gyda Sale, 2011 yng nghanol bwrlwm Prif Gynghrair Lloegr.

Jess a fi ar ein diwrnod mawr, 3 Gorffennaf, 2010.

Mam, fi, Jess, Dad a Yana fy chwaer wedi gwisgo'n smart ar gyfer y diwrnod mawr.

Fi a Stephen Jones, un o'r ddau was priodas odd ar y pryd yn becso am ei 'speech'!

Y gwas priodas arall, Mathew Jones, hen ffrind ysgol.

Elis, Jess a fi'n mwynhau yn Jersey ym mis Awst 2011.

Elis a fi'n trio edrych yn cŵl ar wyliau teuluol yn Dubai.

Elis yn joio yn ystod yr haf eleni.

We have lived eight miles apart all our lives and now we are going to play half-backs for the Lions

Gareth Morgan
gareth.morgan@wme.co.uk

Peel and Jones set to continue West Wales link with Lions pairing

THEY may be representing the cream of four nations but Dwayne Peel and Stephen Jones grew up just a matter of miles apart.

The scrum-half and fly-half pairing have developed an impressive bond in playing together for Wales, and in the past, Llanelli Scarlets.

But in truth their telepathy should come naturally – they have known each other almost all their lives.

The rich and fertile rugby territories of South West Wales have once again produced the skill and verve required of the best half-backs in the land.

And locals were last night celebrating the continuation of their proud rugby heritage - although by now, it almost seems a birthright.

Ever since the 1970s, Lions half-backs have often hailed from West Wales and the last time the tourists conquered the mighty All Blacks it was Gareth Edwards and Barry John who were calling the shots.

They came from Gwaun-Cae-Gurwen and Cefneithin respectively, both tiny villages sandwiched in the

central statue of Rebecca Riser Jack Tyisha. It was in protest at the perceived snubbing of Welsh Grand Slam stars on the tour.

Now the town is in raptures at Peel's inclusion in the Test team at least.

Speaking to reporters in New Zealand after the Lions Test team was announced yesterday, 23-year-old Peel described his area's rugby pedigree as "crazy".

"It is fantastic - we were just talking this afternoon and thinking it's crazy that here are two guys who have lived eight miles apart and known each other for their whole lives," said

"We've used it a bit during games. It will be a secret weapon, shall we say."

Peel was brought up speaking the language at Tumble Primary School, where he also practiced Welsh traditions like folk dancing.

Last night his former teachers said, "We are all so proud."

Julie Jones said, "He is an ambassador for the school, he has not forgotten his roots and still lives in the area.

"He came to the school before leaving with the Lions and there

was so much excitement. He is an inspiration to our pupils.

"It is their sports day this week and I remember Dwayne being part of that. He took part in everything from the Urdd Eisteddfod to

sports, and worked hard in class too."

And she still has the photos to prove it – such as this snap of Peel lifting the Urdd folk dancing cup, aged just 10, in Ruthin back in 1992.

Meanwhile, the gawky shot of Stephen Jones is a reminder of his days playing with Ferryside's under-15s team. Living in Carmarthen, he would travel down on Saturday mornings to join the side.

Wyndham Morgan, who helped train Jones as a youngster, said, "It is the talk of the village. We were worried Wilkinson would take

his spot which would have been a tragedy.

"He was a fine boy and popular with everyone so we are all over the moon."

Jones attended a school with an impressive record of producing international rugby players – including Mefin Davies and Emyr Lewis. But he is Bro Myrddin's first Lion.

"We are all so proud, not just now but of his whole career," said deputy head Meinir John.

"He still keeps in touch and comes to see his old teachers. He was always a very mature boy and his talent and commitment to rugby were obvious."

"There would be something wrong if Stephen wasn't in the team. Some people haven't played all season and they are in the squad so we expected Stephen to do it."

World's best partnership will win Lions opening Test

says Scarlets president Ray Gravell

■ Lions star Dwayne Peel.

Wales stars are ready

Peel's in the driving seat and must be No 9 choice

says Rob Howley

LIONS aces Scott Quinnell and Rob Howley don the playing boots again tomorrow on their Tribute to the Legends afternoon at the Millennium Stadium.

But first their thoughts will be 12,000 miles away in New Zealand, hoping that Welsh stars

dogged by injury.

"He was doing exceptionally well until hurting himself in the Dragons' Heineken Cup game with Newcastle at Rodney Parade.

"He returned for the northern hemisphere in the Tsunami game, but got injured again.

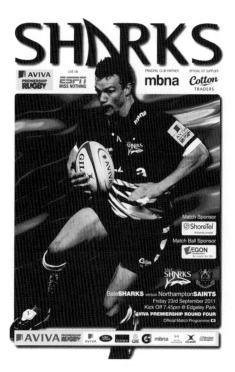

Fy llun ar glawr rhaglen un o gêmau Sale Sharks.

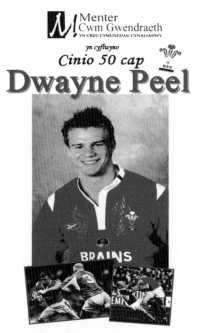

Pobol fy milltir sgwâr wedi trefnu noson i ddathlu ennill fy 50fed cap dros Gymru.

Pencampwyr Pencampwriaeth y Chwe Gwlad 2005!
Llun: Huw Evans Agency

ddigon da i fynd i'r cinio swyddogol ar ôl y gêm, felly 'nôl â fe i'r gwesty ac i'r gwely, lle rodd e'n rhannu stafell gyda fi.

Pan ddihunes i'r bore wedyn rodd Stephen yn eistedd ar ochr y gwely â golwg eitha truenus arno fe. Rodd 'da fe lygad ddu fawr ac rodd e'n cydio yn ei law. Dodd e ddim yn gwbod ar y pryd ei fod e wedi torri asgwrn yn ei arddwrn, a buodd yn rhaid ei roi mewn splint wedi cyrradd 'nôl yng Nghaerdydd. Fe ofynnes iddo fe odd e'n teimlo'n iawn. Dim ond edrych arna i na'th e, gan ei fod e mor ddi-hwyl, a chodi i fynd i'r tŷ bach. Ond rodd e'n ffaelu cerdded achos bod ei bigyrne hefyd yn rhoi cyment o lo's, ac fe gwmpodd e 'nôl ar y gwely. Fe ddechreues i chwerthin wrth ei weld e mor pathetig, ac yna wrth sylweddoli mor druenus odd ei sefyllfa fe dorrodd Stephen mas i chwerthin hefyd. Fe barodd am oesoedd, a buodd yn dipyn o donig iddo mewn gwirionedd. Ond petai rhywun dieithr wedi gweld y cyflwr odd Stephen ynddo y bore hwnnw dwi'n siŵr y bydde fe'n ca'l ei demtio i ofyn a odd yr holl boen yn werth y drafferth.

Diolch byth, fe gethon ni fuddugoliaeth dda yn erbyn Lloegr i gloi tymor Chwe Gwlad 2007, odd yn gam seicolegol pwysig i ni fel tîm. Yn rhyfedd iawn, am ryw reswm, rodd ein hagwedd ni'n mynd i mewn i'r gêm honno yn gwbwl wahanol i'r hyn deimlon ni wrth baratoi ar gyfer y gême erill. O'r funud dethon ni at ein gilydd ychydig ddyddie cyn y gêm rodd pawb fel tasen nhw'n benderfynol o neud yn dda, yn enwedig yn wyneb y beirniadu hallt a fu ar y tîm, ac ar Stephen yn enwedig. Fe fydde rhai'n dadle y dyle chwaraewr rygbi proffesiynol ga'l yr agwedd honno cyn pob gêm, ond nid fel 'na mae pethe'n digwydd. Mae amgylchiade weithe'n mynd yn drech na chi ar y cae ac mae'n anodd i rywun godi'i gêm. Ond da'th pethe i fwcwl yn iawn yn erbyn Lloegr, odd wedi ca'l tymor da tan 'nny.

Dodd y sgôr o 27 i 18 ddim yn adlewyrchiad teg o'r ffaith ein bod ni cyment gwell na nhw ar y diwrnod.

Rodd y fuddugoliaeth, mewn ffordd, yn anffodus i Stephen. Rodd e wedi ca'l ei feirniadu gan y wasg a chyment o sôn wedi bod o blaid ei adel e mas o'r tîm er mwyn i James Hook gymryd ei le. Wrth gwrs, dwli llwyr odd y crwsâd 'nny achos Stephen odd conglfaen y tîm. Ond dyna ddigwyddodd, wrth iddo orfod tynnu 'nôl o'r gêm, ar ôl ca'l ei ddewis i chware yn wreiddiol, oherwydd yr anaf i'w arddwrn. Rodd yr esboniad am absenoldeb Stephen felly yn un syml iawn ond unwaith eto fe na'th y wasg drio neud môr a mynydd o'r digwyddiad a rhai yn awgrymu bod rhyw reswm dirgel dros y penderfyniad i beidio â'i ddewis. Da'th James i mewn i'r tîm a cha'l gêm arbennig. O'r 27 pwynt i Gymru, sgorodd James 22 ohonyn nhw, gan sgori ymhob ffordd mae hi'n bosib neud mewn gêm o rygbi.

Rhyw ddau fis ar ôl y Chwe Gwlad fe aeth carfan Cymru draw i Awstralia i chware dwy gêm brawf a hynny, am wn i, oherwydd y bydden ni'n chware'r wlad honno yng Nghwpan y Byd y mis Medi hwnnw. Ond ches i, na sawl un arall a fuodd yn chware yn y Chwe Gwlad, ddim cynnig mynd ar y daith. O edrych yn ôl, dwi'n credu y base hi wedi talu'n well i dîm Cymru tase'r tîm cryfa wedi mynd i Awstralia. Bydde 'nny wedi bod yn gyfle da i'r garfan ddod i nabod ei gilydd ac i godi'r *morale* ar gyfer Cwpan y Byd. Fe gethon ni fis bant, cyn dechre ymarfer a dilyn rhaglen ffitrwydd wedi'i pharatoi gan yr Undeb.

Yn 'y marn i, mae gormod o bwyslais yn ca'l ei roi ar brofion ffitrwydd. Cyhyd â bo chwaraewr yn cyrradd rhyw safon sylfaenol do's dim angen neud mwy a mwy i geisio codi lefele ffitrwydd. Sgilie sy'n bwysig a dwi ddim yn meddwl bod digon yn ca'l i neud i drio'u gwella nhw. Rhaid cofio taw'r hyn sy'n neud i'r Crysau Duon ragori ar bawb yw safon eu sgilie. Dwi ddim yn meddwl ein bod ni yng Nghymru wedi llwyddo i ga'l y balans yn iawn rhwng y ddwy agwedd honno. I fi, ma Michael Owen yn enghraifft berffaith o chwaraewr odd yn amlygu pwysigrwydd sgilie. O gymharu â safone ffitrwydd rhai o'r bois erill rodd e'n anobeithiol. Nid o ran diffyg ymdrech, chwaith. Rodd e'n rhoi popeth i mewn i'r profion datblygu pŵer a chodi pwyse ond tua gwaelod rhestr canlyniade'r blaenwyr y bydde fe'n dod bob tro. Ond o ran ei feistrolaeth ar sgilie amrywiol ar y cae rodd e ben a sgwydde yn uwch na gweddill y blaenwyr. Rhywun fel 'na fyddwn i am ei ga'l yn 'y nhîm i bob tro.

Dwi wedi bod yn lwcus eriod nad ydw i wedi ca'l fawr o drafferth i gyrradd y safone ffitrwydd disgwyliedig, ar ba lefel bynnag byddwn i'n chware. Ro'n i'n gallu rhedeg trwy'r dydd ond dwi'n cydnabod bod angen gweitho'n rheolaidd ar wella fy nghyflymder. Yn ystod y mis hwnnw cyn Cwpan y Byd fe gethon ni'n profi mewn nifer o ffyrdd gwahanol, er mwyn cynyddu pŵer yn y coese ar gyfer sbrinto, neu wella stamina trwy redeg ar y twyni tywod ym Merthyr Mawr, neu fagu nerth trwy godi pwyse. Rodd gofynion pob chwaraewr yn wahanol ac felly rodd rhaglenni codi pwyse penodol yn ca'l eu paratoi ar gyfer pob unigolyn. Ond fe gethon ni'n profi mewn un ffordd odd yn newydd i ni i gyd ac odd yn llawer mwy technegol na'r profion arferol.

Yn Nhrefforest, rodd gan Brifysgol Morgannwg beiriant arbennig odd yn dangos pa mor effeithiol odd ein cyrff ni wrth droi ocsigen yn garbon deuocsid – proses sy'n hanfodol os am sicrhau ffitrwydd derbyniol. Rodd gofyn i ni redeg ar y peiriant yma wrth i'r llawr arno godi'n raddol a symud yn gyflymach o dan draed. Pan o'n ni'n ymladd am ein gwynt, ac o fewn rhyw dri deg eiliad i ffaelu dal ati, bydde'r tîm ffitrwydd yn rhoi mwgwd am ein cege ni ac yn mesur faint o ocsigen ro'n ni'n anadlu mas yn ystod yr hanner munud hwnnw. Mae'n debyg bod darlleniad o o leia 55ml o ocsigen i'w ddisgwyl gan chwaraewr rygbi proffesiynol a bod Steve

Ovett a Seb Coe, pan o'n nhw yn eu preim, yn cyrradd ffigwr o 90ml. Y darlleniad ar 'y nghyfer i odd tua 75ml, felly ro'n i'n eitha ples, yn enwedig pan sylweddoles i nad odd unrhyw un arall wedi neud yn well.

Ar ôl dyddie o wahanol brofion fe gafodd pob un ohonon ni raglen ymarfer bersonol i'w dilyn am yr wythnose canlynol, gan ganolbwyntio ar yr elfenne ffitrwydd rodd yr unigolyn angen rhoi sylw iddyn nhw. Rodd y cyfan yn drylwyr iawn, ac i gyd-fynd â natur yr ymarferion, rodd maethegydd o'r enw Dan King yn paratoi *sachets* arbennig ar ein cyfer ni, odd yn cynnwys gliwcos, *creatine* a fitamine gwahanol, y bydden ni'n eu cymryd mewn dŵr cyn ac ar ôl pob sesiwn ymarfer. Bydde hyn i gyd mae'n debyg yn helpu'r corff i ddod dros y ffaith ei fod wedi blino, ac yn gymorth i godi lefel ffitrwydd.

Bydde Dan King hefyd yn argymhell pa fwydydd arbennig y dylen ni eu bwyta i ateb yr hyn rodd disgwyl i'n cyrff ei gyflawni. Bydde fe'n awgrymu beth odd yn dda a beth odd yn ddrwg i bob unigolyn, gan gydweithio'n agos â'r cogyddion, lle bynnag y bydden ni'n ymarfer. Fel rhan o'r broses i sicrhau bod ein cyrff mewn cyflwr da bydde'r staff meddygol odd ynghlwm â'r garfan yn cymryd sampl poer, dŵr a testosterôn oddi wrth y chwaraewyr yn rheolaidd. Rodd hi'n anodd credu faint o sylw odd ei angen arnon ni'r chwaraewyr i drio sicrhau y bydden ni ar ein gore yng Nghwpan y Byd ymhen rhai wythnose.

10

Siom Cwpan y Byd
2007

AR ÔL RHAI wythnose o waith ffitrwydd ac ar ôl i'r bois a'th
i Awstralia ymuno â ni yn y Vale, fe ddechreuon ni weitho
ar batrymau chware ac ar sgilie. Fe fydde Neil Jenkins fel
arfer yn gofalu am ddrilie paso'r bêl, Roland Phillips ar
waith amddiffyn ac agwedde ar daclo, a Nigel Davies yn
canolbwyntio ar sgilie ymosod yr olwyr. Agwedd newydd ar
y gwaith ymarfer gafodd ei chyflwyno gan Robin McBryde,
hyfforddwr y blaenwyr, odd defnyddio technege jiwdo. Fe
dda'th e â Neil Adams, cyn-bencampwr jiwdo Prydain i lawr
i egluro sut y galle jiwdo fod o fudd i chwaraewyr rygbi,
yn ardal y dacl yn arbennig. Pe byddwn i'n cyrradd man
lle rodd aelod o'r tîm arall yn sefyll dros un o'n bois ni, ac
yn trio rhwygo'r bêl o'i afel e, rodd ca'l gwbod shwd odd y
ffordd ore i ddefnyddio pwyse rhan ucha'r corff i fwrw'r
taclwr o'r ffordd yn fuddiol iawn.

Ddiwedd mis Gorffennaf 2007, a'th y garfan draw i
Lydaw am wythnos i baratoi ar gyfer y gême gafodd eu
trefnu cyn ein bod ni'n bwrw i Gwpan y Byd, sef yn erbyn
Lloegr, Ffrainc a'r Ariannin. Ro'n ni'n aros mewn gwesty
o'r enw *Ker Juliette* yn Pornichet, ardal ddymunol iawn ar
lan y môr ar bwys La Baule, odd hefyd yn mynd i fod yn
gartre i ni yn ystod Cwpan y Byd. Ro'n ni'n defnyddio Clwb
Rygbi St. Nazaire i ymarfer yn ystod yr wythnos lle rodd

tri chae ac un ohonyn nhw'n gae porfa artiffisial. Rodd safon y cyfleustere'n ardderchog, yn enwedig o ystyried taw dim ond yn nhrydedd adran Cynghrair Ffrainc rodd y clwb hwnnw. Rodd yr adnoddau yn y gwesty yn dda hefyd. Cafodd stafelloedd arbennig eu neilltuo ar gyfer y *masseur*, y ffisiotherapydd a'r dadansoddwyr ystadege, a dwy stafell ar gyfer yr hyfforddwyr a'r chwaraewyr. Yn stafell y chwaraewyr rodd cyfleustere hala a derbyn e-byst.

Yn 'y marn i, camgymeriad odd neud ein pencadlys mewn lle mor dawel â Pornichet, yn enwedig dros gyfnod y Cwpan. Ar wahân i ambell gêm o *boules* ac ymweld â'r *cafés* yn La Baule weithe ar ôl y pryd nos, i brofi'r *crêpes*, dodd dim llawer i neud yno ac rodd hi'n hawdd diflasu. Base hi wedi bod yn well o lawer petaen ni wedi ca'l aros yn Nantes er enghraifft. Er 'nny, fe gethon ni groeso twymgalon gan bobol yr ardal lle bynnag bydden ni'n mynd.

Rodd y sesiyne ymarfer yn galed a chorfforol a phwyslais bellach ar chware yn hytrach nag ar ymarferion ffitrwydd. Rodd Tim Hayes, y dyfarnwr o Gymru wedi dod draw gyda ni, yn bennaf i'n cynghori ni ar shwd odd ein tactege ni'n cydymffurfio â'r rheolau. Ar y dydd Gwener, gyda Tim yn dyfarnu, fe gynhaliwyd gêm brawf rhwng dau dîm o blith y garfan. Rodd y gystadleuaeth yn eitha taer gyda llawer o'r bois yn awyddus i neud eu marc o flan y tîm rheoli yn y gobaith o ga'l eu dewis i wynebu Lloegr ar Awst y 4ydd. Arwydd falle o ddiddordeb y brodorion ynon ni odd bod tua 2,000 wedi dod i weld y gêm gynhalion ni ar y dydd Gwener ar gae Clwb St. Nazaire.

Ches i ddim 'y newis i chware yn erbyn Lloegr yn Twickenham ac yn y pen draw ro'n i'n eitha balch nad o'n i yn y tîm. Er bod y bois yn hyderus yn mynd i mewn i'r gêm fe gethon ni galchad o 62 i 5 – y canlyniad gwaetha posib gyda Cwpan y Byd ar y gorwel. Mae'n wir nad odd nifer o chwaraewyr arferol Cymru yn chware y diwrnod hwnnw, ond siomedig iawn odd y perfformiad, gyda'r tîm cartre'n sgori naw cais. O gofio bod Lloegr wedi ca'l dros ddwy ran o dair o'r meddiant rodd hynny i'w ddisgwyl falle. Eto, chware i'r un hen batrwm na'th Lloegr o gadw'r bêl yn weddol dynn ac er nad odd llawer o antur yn eu chware rodd e'n sicr yn rygbi effeithiol.

Cododd ein calonne ni ar ôl buddugoliaeth dda o 27 i 20 yn erbyn yr Ariannin yng Nghaerdydd er bod 'na ychydig bach o bryder ein bod ni wedi gadel i'r ymwelwyr ddod 'nôl i mewn i'r gêm wedi i ni fynd ar y blan o 24 i 3 erbyn yr egwyl. Ro'n i'n teimlo 'mod i wedi chware'n eitha da, fel yn y gêm nesa yn erbyn Ffrainc. Eto rodd honno'n dipyn o sgytwad wrth i ni golli 34–7. Rodd ambell elfen bositif i'n chware ni, fel y gwaith yn y llinell ar ein pêl ni a'u pêl nhw, ond rodd y ffordd na'th yr ymwelwyr lwyddo i'n rhwystro ni dro ar ôl tro rhag croesi'r llinell fantais yn achosi pryder. Ro'n ni'n sylweddoli bod angen tipyn mwy o sylw ar rai agwedde o'n chware ni os o'n ni'n mynd i neud ein marc yng Nghwpan y Byd.

Unwaith eto, fe gethon ni groeso gwych gan y bobol leol pan ethon ni 'nôl i Lydaw. Rodd cannoedd yno i'n croesawu ni ym maes awyr St. Nazaire a chriw o blant ysgol lleol yn sefyll yn un rhes i gyflwyno beret coch i bob aelod o'r garfan. Ethon ni i'r clwb rygbi lleol yn y prynhawn i gynnal sesiwn ymarfer gan ddenu torf o ryw 2,000 eto. Rodd ein gêm gynta ni y gystadleuaeth i'w chynnal yn Nantes, yn erbyn Canada, bum niwrnod wedyn. Rodd yr achlysur hwnnw yn goron ar 'y ngyrfa i gyda thîm Cymru, achos gofynnwyd i fi fod yn gapten. Rodd e'n dipyn o sioc, yn bennaf achos nad odd sôn wedi bod am hynny yn ystod y dyddie'n arwain at y gêm. Y tro cynta i fi glywed am yr anrhydedd odd pan gafodd enwe'r rhai fydde yn y tîm yn erbyn Canada eu darllen i'r garfan. Ro'n i wedi bod yn gapten ar dîm y Scarlets mewn ambell gêm y tymor cynt ac ma'n siŵr bod Gareth Jenkins a Nigel Davies yn meddwl 'mod i wedi ca'l hwyl arni ar y pryd.

Yn y gêm honno yn erbyn Canada fe gethon ni ddechre da iawn ond fel yr a'th yr hanner cynta yn ei flan fe waethygodd ein perfformiad. Fe drion ni ledu'r bêl ormod heb i'n blaenwyr ni ga'l y gore ar eu pac nhw wrth drio dreifo mlan. Ar yr hanner ro'n ni ar ei hôl hi o 9 i 17, ond wedi i Stephen Jones a Gareth Thomas ddod i'r cae fel eilyddion yn gynnar yn yr ail hanner fe newidiodd pethe. Gyda chwaraewyr Canada yn dechre blino rodd ein blaenwyr ni bellach yn rheoli'r chware tyn. Fe ddechreuon nhw yrru mlan mwy, cyn i ni fynd ati i ymosod yn lletach a sicrhau buddugoliaeth gyfforddus yn y diwedd.

Rodd llawer o'r bechgyn bellach yn edrych mlan i fynd 'nôl i Gaerdydd i chware yn erbyn Awstralia yn Stadiwm y Mileniwm, ond dodd rheole'r gystadleuaeth ddim yn caniatáu i ni gyrradd Cymru tan y dydd Iau cyn y gêm ar y dydd Sadwrn. Dwi ddim yn siŵr pa mor awyddus odd Robin McBryde i adael Llydaw chwaith, achos fe gyrhaeddodd e faes awyr St. Nazaire heb ei basbort! Tra o'n ni i gyd yn disgwyl am hanner awr yn yr awyren ar y *runway* fe ruthrodd *gendarme* ar ei feic modur 'nôl i'r gwesty i godi'r pasbort. O ganlyniad fe fu'n rhaid i Robin dalu dirwy o £100 i goffrau'r garfan!

Unwaith eto, yn y gêm yn erbyn Awstralia, yn yr hanner cynta yn benna, fe fuon ni'n chware ar draws y cae yn ormodol am i ni ffaelu croesi'r llinell fantais dro ar ôl tro. Ac yn ôl eu harfer rodd yr ymwelwyr yn effeithiol dros ben yn ardal y dacl, yn ein gorfodi ni i ddefnyddio tipyn mwy o chwaraewyr yn yr agwedd honno na'n gwrthwynebwyr. Rodd ein perfformiad ni'n un esgeulus, y cicio'n siomedig a thuedd i ollwng y bêl. Erbyn hanner amser ro'n ni ar ei hôl hi o 25 i 3 ond fe wellodd pethe rhywfaint yn yr ail hanner, wrth i ni neud llawer yn well yn ardal y dacl a chico'n fwy effeithiol. Ond rodd y dasg yn ormod i ni yn y diwedd a cholli nethon ni o 20 i 32. Er cystal y chwaraeodd Awstralia, ro'n ni'n siomedig iawn, yn enwedig gan ein bod ni'n gwbod y gallen ni fod wedi chware llawer yn well na nethon ni.

Fel base rhywun yn disgwyl yn ystod rowndie rhagbrofol cystadleuaeth o'r fath, fe gafwyd nifer o newidiade ar gyfer y gêm nesa, ar nos Iau, Medi 20, yn erbyn Siapan, yng Nghaerdydd, ac yn yr eisteddle ro'n i yn y gêm honno. Fe gethon ni fuddugoliaeth rwydd, 72–18, a Chymru'n sgori 11 cais mewn perfformiad disglair iawn. Ond yn ystod yr hanner cynta fe a'th Siapan ar y blan ddwywaith, gyda'u hasgellwr, Endo yn sgori cais gore'r holl gystadleuaeth.

Fe ethon ni 'nôl i Lydaw ar y dydd Gwener. Ond dodd y gwaith paratoi ar gyfer y gêm hollbwysig yn erbyn Ffiji ddim yn mynd i ddechre tan y dydd Llun. Ar y dydd Sadwrn rodd trip wedi'i drefnu i Baris ar gyfer y chwaraewyr, tra arhosodd yr hyfforddwyr, a'r chwaraewyr odd yn brwydro i ddod dros anafiade, ar ôl yn Pornichet. Fe gethon ni ddiwrnod ardderchog, gan ymweld â rasus ceffyle cwrs enwog Longchamps, ca'l golwg ar Baris a mwynhau sioe. Ac ar y dydd Llun ro'n ni'n teimlo'n barod amdani ac fe ethon ni ati'n daer i ymarfer yn galed ar gyfer y gêm yn erbyn Ffiji. Canlyniad honno fydde'n penderfynu a fydden ni'n mynd gartre ar unwaith neu'n mynd mlan i rownd yr wyth olaf.

Ein bwriad ni'r diwrnod hwnnw odd cadw'r bêl yn dynn gan obeithio cadw Ffiji rhag chware'u gêm agored arferol a'u neud nhw'n rhwystredig, gan achosi iddyn nhw ildio cicie cosb. Bydde 'nny'n ein galluogi ni i symud lan y cae ac i safleoedd fydde'n caniatáu i ni gico am y gôl. Ond fe ddatblygodd i fod yn gêm od iawn o ganlyniad i dipyn o chware llac a nifer o gamgymeriade. Nethon ni ddim chwaith gadw at y cynllun o gadw'r bêl yn dynn ond yn yr hanner cynta fe ddewison ni redeg y bêl o bob man, yn hytrach na thrio trosi cicie cosb pan o'n ni mewn sefyllfa i neud 'nny.

A hwythe'n dangos eu donie disglair arferol yn y chware rhydd, gan redeg yn gryf ac yn gyflym a chan reoli ardal y dacl yn effeithiol dros ben, fe saethodd Ffiji ar y blaen, o 25 i 10 erbyn hanner amser. Dodd lwc ddim gyda ni chwaith... yn ystod y gêm fe fwrodd cicie Stephen y postyn dair gwaith. Unwaith yn rhagor, fe newidiodd pethe yn yr ail hanner. Fe drion ni ailafel yn y patrwm chware a newid rhywfaint ar ein ffordd o amddiffyn. Y cynllun nawr odd pwyllo fel llinell amddiffyn ac yn hytrach na symud lan yn gyflym i'w hwynebu nhw, cwympo 'nôl mwy a'u gorfodi nhw i redeg aton ni.

Fe weithiodd hyn yn dda am y rhan fwya o'r ail hanner ac fe ethon ni ar y blan ddwywaith. Ond yna fe a'th ein chware ni'n llac iawn ac fe anwybyddon ni'r patrwm. Yn lle codi'r bêl yn gyson o'r sgarmesi a gyrru mlan, fydde fel arfer yn arwain at sgrym i ni, fe ddewison ni chware i gryfdere Ffiji. Y sgrym odd yr agwedd wanna ar eu chware nhw, eto i gyd dim ond tri sgrym cyflawn gethon ni yn ystod yr ail hanner i gyd. Fe gollon ni o 38 i 34 ac er y dylen ni fod wedi ennill y gêm, rodd yn rhaid cydnabod bod Ffiji'n dîm da. Rodd 'da nhw nifer o chwaraewyr talentog a llawer ohonyn nhw'n chware rygbi mewn clybie o'r safon ucha. Arwydd falle o ba mor beryglus ro'n nhw fel tîm odd y ffaith taw o drwch blewyn yn unig nethon nhw golli yn y rownd nesa yn erbyn De Affrica, a enillodd y Cwpan yn y pen draw.

Ond ro'n ni i gyd gartre erbyn 'nny, yn teimlo'n ofnadw o siomedig. Rodd y stafell newid fel y bedd ar ôl y gêm yn erbyn Ffiji. Fe driodd Gareth godi'n calonne ni ond ro'n ni'n sylweddoli'n bod ni wedi tan-berfformio'n sylweddol yn y gystadleuaeth a'n bod ni wedi'i adel e, a ni'n hunen, i lawr yn wael. Y bore wedyn galwodd Roger Lewis, Ysgrifennydd yr Undeb, gyfarfod arbennig ar gyfer yr holl chwaraewyr a'r staff i gyhoeddi bod Gareth wedi ca'l ei ddiswyddo fel hyfforddwr. Wedi i Gareth godi ar ei draed i ddiolch i ni fel carfan, o dan amgylchiade diflas iawn, ro'n ni'r chwaraewyr yn methu credu'r peth.

Mae'n wir falle'n bod ni i gyd yn meddwl y bydde dyfodol Gareth yn ansicr wedi perfformiad mor siomedig ond rodd clywed bod yr Undeb wedi'i ddiswyddo mor sydyn ar ôl y gême rhagbrofol yn anodd derbyn. O ran y parch rodd Gareth yn ei haeddu, a'r gwasanaeth gwerthfawr rodd e wedi'i roi i rygbi yng Nghymru ar hyd y blynydde, ro'n i'n meddwl bod y ffordd y cafodd ei drin y bore hwnnw yn Pornichet yn gywilyddus. Am 'mod i'n gwbod nad o'n i wedi bod ar 'y ngore yn y gême rhagbrofol, ro'n i'n teimlo 'mod i wedi gadel Gareth lawr, a dodd hynny ddim yn deimlad braf o gwbwl.

Rodd hi'n daith hir a thawel 'nôl i'r Vale y prynhawn hwnnw – taith a dda'th i ben gyda golygfa drist iawn. Wrth i'r bws arafu cyn cyrradd y gwesty, cododd Gareth ei law a neidio oddi arno, er mwyn cerdded trwy'r ffordd gefn at ei gar yn y maes parcio, rhag iddo orfod wynebu'r wasg. Ro'n i'n teimlo mor flin drosto. Ond mewn gwirionedd, yn ystod y cyfnod o baratoi ar gyfer Cwpan y Byd, a'r gystadleuaeth ei hunan, rodd rhywbeth o'i le. Rodd ysbryd a *morale* carfan 2003 mor wahanol i'r hyn ro'n i wedi'i deimlo yn 2007.

Yn Ffrainc, rodd y drefen hyfforddi yn amal o dan lach y chwaraewyr. Dodd dim cyment o feirniadu ar Gareth, ond ar y gyfundrefn. Rodd cwyno nad odd cyfarwyddiade clir o ran y tactege rodd yr hyfforddwyr isie i'r tîm eu dilyn. Yn wir, rodd 'na ansicrwydd ymhlith y bois ynglŷn â beth yn gwmws ro'n nhw fod i neud ar y cae. Rodd tipyn o achwyn am y systeme amddiffyn rodd Roland Phillips, yr hyfforddwr amddiffyn, yn trio'u cyflwyno. Hefyd, rodd rhai chwaraewyr o'r farn bod gormod o lais gan ambell aelod o'r garfan wrth drafod tactege, yn enwedig pan o'n nhw'n anghytuno â syniade'r tîm hyfforddi. Rodd y cyfan yn ychwanegu at yr ansicrwydd odd yn bodoli ynglŷn â shwd odd yr hyfforddwyr isie i ni chware. Felly, rodd Cwpan y Byd 2007 yn siom enfawr o ran y perfformiade ar y cae ac fe gyfrannodd yr holl anniddigrwydd oddi ar y cae at y methiant, yn 'y marn i. Ar ddiwedd taith y Llewod yn 2005, a barodd am naw wythnos, 'sen i wedi gallu aros mlan am naw wythnos arall, gan fod y cyfan yn brofiad mor bleserus. Ym mis Medi 2007 ro'n ni'n ysu am fynd gartre.

11

Prifio ar y Strade

Er bod tymor 2002–3 ar y Strade wedi bod yn gyfle i fi chware'n amlach i'r tîm cynta, rodd hi'n dal yn gystadleuaeth rhyngo i a Guy Easterby am safle'r mewnwr. Ro'n i'n ca'l 'y newis ar gyfer mwy a mwy o gême pwysig fel y rheini yng nghystadleuaeth Cwpan Heineken. Fe nethon ni'n dda iawn yn y gême rhagbrofol yn erbyn Bourgoin, Glasgow a Sale, gan golli unwaith yn unig, a finne'n ca'l chware mewn sawl un ohonyn nhw. Ond ro'n i'n arbennig o bles taw fi odd yn gwisgo'r crys rhif 9 yn erbyn Perpignan yn rownd yr wyth olaf.

Rodd ein gobeithion ni o symud mlan i'r rowndiau cyn-derfynol yn uchel iawn cyn y gêm ond yr ymwelwyr a'th â hi o 19 i 26. Un rheswm am hynny odd ein bod ni un chwaraewr yn brin ar ôl 10 munud wedi i Dafydd Jones ga'l ei hala bant am sathru ysgwydd a wyneb Ludovic Loustau, mewnwr Perpignan. Rodd Daf yn syn ei fod e wedi ca'l y garden goch, gan ddweud wrth iddo adel y cae, "Wnes i ddim twtsh ag e!" Ro'n i'n meddwl ei fod wedi ca'l cam… nes i fi weld tâp o'r gêm rhyw ddiwrnod neu ddau wedyn. Ma arna i ofn bod gwres y frwydr a berw'r achlysur wedi bod yn ormod i'r hen Daf ar y pryd ac fe gyfaddefodd e, ar ôl edrych ar y digwyddiad mewn gwaed oer, bod Tony Spreadbury wedi bod yn iawn i roi'r garden goch iddo am ei 'eiliad wallgo'.

Ar ôl y gêm rodd y stafell newid fel y bedd. Do's dim

dwywaith bod Perpignan yn dîm da, gyda bois profiadol fel y blaenasgellwr Bernard Goutta yn neud tipyn o argraff. Ond ro'n ni i gyd yn gwbod y dylen ni fod wedi ennill. Yn naturiol, dodd neb yn fwy siomedig na Dafydd ac fe safodd ar ei draed i ymddiheuro i'r tîm. Buodd un neu ddau'n trio'i gysuro rywfaint ar y pryd ond yn ystod y dyddie wedyn, ac ynte'n dal i deimlo'n euog, fe fu'n destun sawl sylw ffraeth wrth i'r chwaraewyr 'ddiolch' iddo ein bod ni bellach mas o'r Heineken! Ond, chware teg, fe gymerodd yr holl dynnu coes yn dda iawn o ystyried ei fod e'n teimlo mor euog.

Yn y gêm honno fe ges i ergyd i 'nghoes odd yn golygu nad o'n i ar ga'l i chware yn erbyn Caerdydd yn rownd gyn-derfynol Cwpan y Principality. Rodd hyn yn drueni mawr achos fe fydde hi wedi bod yn neis ca'l chware ym muddugoliaeth fwya eriod y Scarlets yn erbyn tîm y brifddinas, o 44 i 10. Er 'nny, dodd eu maeddu nhw ddim mor bwysig i'r Scarlets ag odd ca'l y gore ar dîm Abertawe. Ar wahân i'r elyniaeth draddodiadol sy'n bodoli rhwng y ddau glwb, rodd y Jacks bryd 'nny'n ca'l eu hystyried yn dîm da iawn. Rodd 'da nhw fois cadarn fel Colin Charvis a Scott Gibbs a'u dullie hyfforddi nhw, o ran ffitrwydd a chryfder, yn debyg i'r rhai sy'n ca'l eu harddel yn yr oes fodern. Ro'n nhw o flan eu hamser ar y pryd.

Ond yr hyn fu'n corddi'r dyfroedd fwya y tymor hwnnw o ran ein perthynas ni ag Abertawe odd y ffaith fod Undeb Rygbi Cymru, o dan y drefn ranbarthol newydd fydde'n dod i rym y tymor wedyn, am i ni uno ag Abertawe o bawb, i ffurfio tîm. Yn naturiol, buodd tipyn o frwydr yn y Clwb ac yn y dref yn erbyn y bwriad ffôl hwnnw a diolch i ymdrechion taer y gwrthwynebwyr fe gadwodd Llanelli ei annibyniaeth.

Rodd y fuddugoliaeth fawr yn erbyn Caerdydd yn y rownd gyn-derfynol honno yn 2003 yn talu'r pwyth yn ôl, am y goten o 65 i 16 gafodd Llanelli yn eu herbyn nhw yn y

Cwpan ddau dymor cyn 'nny. Dwi'n cofio inni ga'l rhyw fath o gyfarfod argyfwng yn y Clwb, yn dilyn y grasfa honno, a na'th fyd o les i ni fel tîm, achos fe gethon ni rediad da iawn wedyn. Gan fod pawb wedi chware mor dda wrth faeddu Caerdydd yn y rownd gogynderfynol fe benderfynwyd cadw'r un tîm ar gyfer y ffeinal yn erbyn Casnewydd, felly ar y fainc o'n i y diwrnod hwnnw. Fe ges i ddod i'r cae i fod yn rhan o'r fuddugoliaeth, 32 – 9, odd yn garreg filltir mewn ffordd, gan taw honno odd y flwyddyn olaf i gystadleuaeth Cwpan y Principality ga'l ei chynnal. Rodd yr achlysur yn goron addas ar gyfraniad nodedig clwb Llanelli i'r gystadleuaeth, a ninne'n ennill y Cwpan am y deuddegfed tro.

Ar gyfer 2003–4, rodd pum tîm rhanbarthol newydd wedi'u ffurfio yng Nghymru, a ninne yn eu plith, dan yr enw Scarlets Llanelli. Rodd Guy Easterby wedi gadel y Clwb a finne felly yn ca'l 'yn ystyried yn ddewis cynta ar gyfer safle'r mewnwr, a Mike Phillips yn ail ddewis. A dweud y gwir rodd 'da ni fantais dros y rhan fwya o'r time rhanbarthol newydd yng Nghymru. Gan ein bod ni, fel Gleision Caerdydd, wedi ca'l cadw'n hannibyniaeth, dodd dim rhaid i ni newid dim ar ein patrwm o chware nac ar gyfansoddiad y garfan. Ond rodd y clybie odd wedi gorfod uno â chlwb arall, neu wedi llyncu mwy nag un clwb, yn gorfod asio o'r newydd a cha'l y gwahanol chwaraewyr i arddel ffordd unedig o chware.

Rodd ein record ni yng ngême rhagbrofol y Cwpan Heineken y flwyddyn honno'n dda iawn. Un gêm yn unig gafodd ei cholli a honno bant yn Agen ond y gamp fwya y diwrnod hwnnw odd dod oddi ar y cae yn fyw! Dwi eriod wedi chware ar ddiwrnod mor oer ac i neud pethe'n waeth rodd hi'n arllwys y glaw drwy'r gêm. Pan dda'th Simon Easterby oddi ar y cae ar ddiwedd yr wyth deg munud rodd e'n diodde o *hypothermia*. Rodd e'n crynu cyment fel y buodd yn rhaid torri ei grys rygbi oddi ar ei gorff e a cha'l doctor i'w folchi fe.

Ma'r gêm yn gofiadwy i fi am reswm arall hefyd. Y sgôr terfynol odd 22–15 i'r tîm cartre ond yn hwyr yn y gêm fe lwyddes i daro cic lawr, gyda'r llinell gais yn gwahodd. Dodd neb o 'mlan i a'r cyfan odd 'da fi i neud odd codi'r bêl a'i thirio hi dros y llinell. Yn anffodus, fe lithrodd hi trwy 'nwylo i fel bar o sebon ac fe'i bwres hi mlan. Hyd heddi, ma meddwl am y peth yn neud i fi gochi. O ganlyniad, rodd y ffaith i ni golli yn golygu bod rhaid i ni fynd i Northampton yr wythnos wedyn ac ennill os o'n ni am fynd i rownd yr wyth ola.

Fel y digwyddodd hi, fe chwaraeon ni'n wych yn y gêm honno gyda'n pac ni'n llwyddo i roi wyth y tîm cartre ar y droed ôl am y rhan fwya o'r amser. Rodd y rheng flaen, odd yn cynnwys John Davies, Robin McBryde a Iestyn Thomas yn ardderchog a Robin yn ca'l ei ddyfarnu'n chwaraewr gore'r gêm. Rodd hyn yn dipyn o gamp o ystyried taw'r bachwr yn ei erbyn e odd Steve Thompson, odd yn chware i Loegr pan enillon nhw Gwpan y Byd yn gynharach y tymor hwnnw.

Uchafbwynt y gêm yn sicr odd y cais gwych a sgorodd ein cefnwr ni, Barry Davies – cais mae dilynwyr rygbi'n dal i sôn amdano ac a seliodd fuddugoliaeth i ni o 18 i 9. Wedi i Paul Grayson roi cic ymosodol dros ein llinell dri-chwarter ni dyma Barry, yn ei hanner ei hunan, yn llithro at y bêl rydd, gafel ynddi a chodi ar ei draed mewn un symudiad llyfn. Yna, bant ag e ar ras gan groesi llinell gais Northampton fel trên a gadel amddiffynwyr y tîm cartre i edrych yn syn arno'n sgori cais.

Ond unwaith eto, siom odd yn ein disgwyl ni yn y chwarteri gartre yn erbyn Biarritz. Lle buodd y pac yn feistri yn Franklin Gardens fe gethon nhw eu dofi'n llwyr gan y Ffrancwyr ar y Strade. O ganlyniad, o flan dros 10,000 o gefnogwyr brwd, perfformiad siomedig gafwyd gan y Scarlets y diwrnod hwnnw a chyda chwaraewyr fel Dimitri

Yachvili yn serennu fe enillodd Biarritz 27–10. Falle taw un o ddigwyddiade mwya cofiadwy'r prynhawn odd gweld yr eilydd Bernat-Salles yn rhedeg fel awyren gyda'i freichie ar led i groesi am gais yn yr eiliade ola. Yr hyn na'th ein hala ni'n grac odd ein bod ni'r wythnos wedyn wedi chware'n wych wrth roi coten i Leinster, tîm yn llawn o sêr, o 51 i 20. Rodd y bois yn eitha siomedig wrth ddod oddi ar y cae gan eu bod nhw'n gwbod yn iawn y dylen ni fod wedi chware fel 'na yr wythnos flaenorol yn erbyn Biarritz. Yn 2003–4 hefyd fe nethon ni'n arbennig o dda yn y Gynghrair Geltaidd, odd yn cynnwys 12 tîm o Gymru, Iwerddon a'r Alban – a dda'th yn Gynghrair Magners wedyn, cyn troi yn Rabodirect Pro 12, sef yr enw ar y gynghrair honno heddi. Erbyn diwedd y tymor ro'n ni'n agos at frig y Gynghrair ac yn chware bant yn erbyn y Gweilch. Gyda fawr ddim o amser ar ôl fe fethodd Gavin Henson gic gosb weddol hawdd i ddod â'r gêm yn gyfartal, a ni odd yn fuddugol o 18 i 15.

Erbyn 'nny, rodd gobaith hefyd gan y Dreigiau ac Ulster o gipio'r Bencampwriaeth. Ond diolch i Stephen Jones, odd yn chware ei gêm ola cyn ymuno â chlwb Clermont, ac a gicodd 18 pwynt, y ni dda'th yn bencampwyr y Gynghrair, am y tro cynta, a'r unig dro hyd yn hyn, gyda buddugoliaeth yn erbyn Ulster o 23 i 16. Er gwaetha'r siom yn erbyn Biarritz rodd dathlu brwd y miloedd o gefnogwyr odd yn bresennol y nosweth 'nny yn dangos eu bod nhw hefyd wrth eu bodd â'n llwyddiant ni'r tymor hwnnw.

Rodd bwlch mawr yn y Clwb ar ôl colli Stephen yn 2004. Dodd e ddim wedi trafod ei fwriad i fynd i Ffrainc gyda fi cyn gadel ond gan nad odd e ddim wedi arwyddo cytundeb newydd gyda'r Scarlets ar gyfer y tymor odd i ddod ro'n i'n gwbod bod rhywbeth yn y gwynt. Yna fe ethon ni'n dau mas i Gaerfyrddin gyda'n gilydd rhyw nos Sadwrn ac fe ddwedodd wrtha i ei fod e wedi arwyddo i Clermont. Rodd chwaraewyr erill wedi ffarwelio â'r Strade erbyn dechre'r tymor hwnnw hefyd, fel Dave Hodges, Martin Madden a Ian a Neil Boobyer. Rodd Scott Quinnell yn un o bileri'r tîm, ac erbyn 'nny rodd e hefyd yn paratoi i roi'r gore iddi. Ychydig o gême a chwaraeodd i ni'r tymor hwnnw. O ganlyniad, fe gethon ni dymor digon siomedig. Fe orffennon ni yn y pumed safle yn y Gynghrair Geltaidd ac ennill dwy gêm yn unig yn rowndie rhagbrofol Cwpan Heineken. Bu rhai o'n perfformiade ni yn y gême 'nny'n barchus iawn. Er enghraifft, yn erbyn Toulouse ar y Strade ro'n ni'n anlwcus i golli o 6 i 5 mewn tywydd gaeafol dros ben, a finne'n ymfalchïo yn y ffaith i fi ga'l 'y newis yn chwaraewr gore'r gêm. Mas yn Ffrainc yn eu herbyn nhw fe gollon ni mewn gêm gyffrous iawn o wyth cais i chwech, gyda Gareth Thomas yn ca'l un ohonyn nhw i'r tîm cartre. Rodd e'n seren mewn tîm o sêr ac rodd ei ddonie amrywiol yn golygu ei fod e'n gallu chware mewn sawl safle iddyn nhw. Rodd hi'n amlwg hefyd bod y Ffrancwyr yn hoff iawn ohono fe mas 'na.

Cyrhaeddodd y Scarlets rownd derfynol y Cwpan Celtaidd, ond Munster odd yn fuddugol o 26 i 17. Ro'n i wedi ca'l 'y newis i fynd ar daith y Llewod ac achos 'mod i wedi ca'l anaf bach cyn y ffeinal fe benderfynodd Gareth Jenkins y bydde hi'n gallach i fi beidio â chymryd rhan, er 'mod i'n barod iawn i neud 'nny os odd rhaid. Edryches i ar y gêm ar y teledu yng nghwmni Dad yng Nghlwb Criced Drefach ond dodd dim llawer o fwrlwm ynghlŷn â'r achlysur. A dweud y gwir rodd y gêm gyn-derfynol yn erbyn y Gweilch, a phob tocyn wedi'i werthu, yn fwy cyffrous o lawer.

Yr un odd yr hanes yn 2005–6, gyda'r Scarlets yn gorffen yn y chweched safle yn y Gynghrair Geltaidd, ac ennill dwy gêm yn unig, yn erbyn Wasps a Chaeredin o'r chwech gêm rhagbrofol yng Nghwpan Heineken. Buodd bron i ni orfod ildio'r fuddugoliaeth yn erbyn Wasps oherwydd yn ystod y

gêm da'th niwl trwchus lawr dros y Strade a'r dyfarnwr yn ca'l
ei demto i ddod â'r chware i ben achos ei bod hi'n amhosib
gweld ochr arall y cae! Dwi'n cofio erfyn ar y dyfarnwr, "You
can't abandon the game, ref, we're winning"!

Fe ffaeles i chware mewn rhai o'r gême rhagbrofol achos,
yn dilyn taith y Llewod, fel y sonies i'n gynharach, fe fu'n
rhaid i fi ga'l llawdriniaeth. Ac yna buodd yn rhaid i fi ga'l
llawdriniaeth bellach yn nes mlan yn ystod y tymor. Rodd y
ddwy gêm yn erbyn Toulouse unwaith eto'n gyffrous ac er i
ni golli'r ddwy fe sgoron ni gyfanswm o 70 pwynt i 99 pwynt
gan y Ffrancwyr.

Ein hunig lwyddiant ni'r tymor hwnnw odd cyrradd
ffeinal Cwpan Clybiau Lloegr a Chymru (yr 'Anglo Welsh')
yn Twickenham. Colli odd ein hanes ni o 26 i 10 yn erbyn
Wasps a finne unwaith eto'n absennol oherwydd yr anaf
ro'n i wedi'i ga'l i 'mhigwrn. Ro'n i'n siomedig iawn hefyd
'mod i wedi colli'r gêm gyn-derfynol yn erbyn Caerfaddon
yn Stadiwm y Mileniwm. Y tro hwnnw, fe wrthododd Scott
Johnson roi caniatâd i fi chware gan fod gême'r Chwe Gwlad
yn dechre'r wythnos wedyn a fi odd yr unig fewnwr holliach
ar ôl yng ngharfan Cymru ar y pryd!

12

Y gwych a'r gwael

TYMOR 2006–7 ODD y cyfnod hapusa ges i ar y Strade a dyna pryd y chwaraeodd y tîm y rygbi gore yn ystod 'y nghyfnod i yn gwisgo crys y Scarlets. Rodd fel petai rhyw awch newydd yn y Clwb a rhyw awydd i neud ein marc. Bellach, rodd Stephen wedi dychwelyd o Ffrainc ac unwaith yn rhagor rodd e'n ddylanwad positif iawn ar y tîm. Ro'n i'n gwbod taw am ddwy flynedd yn unig rodd e wedi arwyddo i Clermont ac ro'n i'n siomedig i glywed i ddechre taw i Gaerdydd rodd e'n meddwl mynd ar ôl dod 'nôl. Mae'n wir iddo ga'l trafodaethe â'r Gleision ond mae'n amlwg taw ar y Strade rodd ei galon e. Rodd Phil Davies wedi dod yn Gyfarwyddwr Hyfforddi'r Clwb yn lle Gareth Jenkins odd wedi ca'l ei benodi'n hyfforddwr y tîm cenedlaethol.

Ro'n i'n flin i weld Gareth yn gadel. Rodd e wedi bugeilio 'ngyrfa i o'r dechre ar y Strade ac ro'n i'n ddiolchgar iawn iddo am ddysgu cymaint i fi. Rodd ei gariad e at y Clwb a'i frwdfrydedd e dros bopeth odd yn ymwneud â'r Scarlets yn ysbrydoliaeth i bawb. Rodd ei ffordd o drin chwaraewyr ar lefel bersonol yn batrwm i unrhyw ddarpar hyfforddwr. Ro'n i'n sylweddoli y bydde bwlch mawr ar ei ôl ond ro'n i'n gwbod bod Phil hefyd yn meddwl y byd o'r Clwb ac ro'n i'n edrych mlan at ei arweiniad e.

Yng Nghwpan Heineken 2006–7 fe enillon ni bob un o'r gême rhagbrofol gan fynd mlan i faeddu Munster yn y chwarteri. Caf i gyfle ar ddiwedd y gyfrol i drafod y gêm honno, yn ogystal â'r ornest ragbrofol mas yn Toulouse, gan eu bod nhw ymhlith y gêm mwya cofiadwy y chwaraees ynddyn nhw eriod.

Fe ddechreuodd ein taith ni yn Ewrop y tymor hwnnw gyda buddugoliaeth o 32 i 25 bant yn erbyn y Gwyddelod yn Llundain. Ro'n ni ar dân am yr awr gynta, gan sgori 4 cais ond fe adawson ni i'r Gwyddelod ddod 'nôl iddi ac rodd y sgôr terfynol yn awgrymu bod llai o fwlch rhwng y ddau dîm nag odd mewn gwirionedd.

Ro'n ni wedi colli i Ulster mas yn Ravenhill yng Nghynghrair Magners 2006–7 yng ngêm gynta'r tymor. Y nosweth 'nny rodd Martyn Thomas, crwt 18 oed ar y pryd, yn chware i ni am y tro cynta yn safle'r cefnwr a dwi'n cofio'r dorf yn neud pwynt o roi amser caled iawn iddo fe, yn enwedig o dan y bêl uchel. Ond ro'n ni'n meddwl ar y pryd ein bod ni cystal â'r Gwyddelod bob tamed. Felly dodd eu cyfarfod nhw yn yr Heineken ar y Strade ym mis Hydref 2006 ddim yn ein becso ni o gwbwl. Fe roion nhw amser digon anodd i ni, gyda phum gôl gosb gan David Humphries yn eu cadw nhw yn y gêm hyd y diwedd. Rodd ein chware ni'n fwy esgeulus nag arfer a phan dda'th y chwib olaf ro'n ni'n ddigon balch o fod wedi mynd â hi, 21–15. Rodd y sgôr yn erbyn Toulouse ar y Strade yn agosach byth. Er taw ni odd y tîm gore ar y diwrnod dim ond un pwynt odd rhyngon ni yn mynd mewn i'r munude ola a chyda'r Ffrancwyr yn ca'l sawl cic aflwyddiannus at y pyst rodd rhyddhad mawr pan dda'th y chwiban olaf a ninne ar y blan o 20 i 19.

Yn wahanol i nifer o chwaraewyr erill, dwi wrth 'y modd yn chware yn erbyn Ulster yn Ravenhill. Ma rhyw awyrgylch arbennig yno bob amser a'r cefnogwyr yn elyniaethus o danbaid dros eu tîm ac yn erbyn yr ymwelwyr. Ma hynny bob amser yn tynnu'r gore mas ohono i fel chwaraewr ac yn 'y neud i'n benderfynol o lwyddo yno, er mor anodd fydd 'nny fel arfer. O'r eiliad y byddwn ni'n rhedeg mas i'r cae i sŵn y dorf yn bloeddio 'Stand Up For Ulster' byddwn ni'n gwbod bod brwydr o'n blaene ni. Ro'n nhw hefyd yn feistri ar gorddi chwaraewyr yr ymwelwyr. Er enghraifft, pan fydden i'n sefyll ar bwys yr ystlys yn disgwyl am linell neu sgrym fe fydde'r dorf wrthi'n amal yn neud sŵn defaid yn brefu.

Pan ethon ni i chware yno yn rowndie rhagbrofol yr Heineken y tymor hwnnw rodd hi'n nosweth oer iawn a gwynt cythreulig o gryf yn chwythu i'n wynebe ni yn ystod yr hanner cynta. Yn gynnar yn y gêm fe gethon ni gic gosb o flan y pyst, bron ar y llinell 22. Fe darodd Stephen y bêl yn lân ac fel arfer fe fydde hi wedi saethu rhwng y pyst, ond rodd y gwynt a'r glaw mor gryf nes iddi hedfan i gyfeiriad lluman y gornel gan ffaelu cyrradd y llinell gôl hyd yn oed. Ond, diolch i berfformiad grymus, disgybledig gan y pac, fe chwaraeon ni gêm dynn, effeithiol dros ben yn ystod y cyfnod hwnnw, gan ddal Ulster i sgôr o 8–7 ar yr hanner. Er inni ddechre'r ail gyfnod yn sigledig iawn ac er ei bod hi'n anodd mesur y cicie gan fod corwynt y tu cefen i ni erbyn hyn, fe ethon ni mlan i reoli gweddill y gêm a sgorio pedwar cais arall, gyda Stephen yn trosi pob un. Dyna'r tro cynta i Morgan Stoddart, odd wedi ymuno â ni o Bontypridd, chware i'r tîm cynta ac fe na'th ei farc ar y gêm gydag ymdrech wych i sgori un o'r ceisie.

Ro'n ni bellach yn gwbod ein bod ni drwodd i'r chwarteri, fydde wrth gwrs yn golygu y bydde'r Clwb ar ei ennill o £250,000. Ond os o'n ni am sicrhau gêm gartre yn y rownd nesa fe fydde'n rhaid maeddu'r Gwyddelod yn Llundain ar y Strade ym mis Ionawr 2007. Eto, fe nethon ni waith caled o'r gêm honno, gyda pherfformiad anniben. Ar ôl bod ar y blan o 17 i 3 fe adawon ni i'r ymwelwyr ddod 'nôl o fewn un pwynt ac fe gymerodd hi gic gosb hwyr i setlo'r mater. Ond mewn gwirionedd rodd pawb jest isie ca'l y gêm mas o'r ffordd ac yn ysu am symud mlan i'r rownd nesa. Bydde 'nny'n golygu chware Munster ar y Strade ar nos Wener, Mawrth 30.

Ar ôl ein buddugoliaeth ardderchog ni yn y chwarteri ro'n ni'n eitha hyderus y bydden ni'n neud yn dda iawn yn erbyn Caerlŷr yn y rownd gyn-derfynol. Ro'n nhw'n tueddu i chware gêm syml, uniongyrchol odd wedi'i seilio ar rym eu pac ac rodd y steil arbennig 'nny yn siwto Stadiwm Walker i'r dim, achos bod y cae mor gul ag rodd y rheole yn ei ganiatáu. Fe chwaraeodd y tîm cartre i'w cryfdere y diwrnod hwnnw. Dodd dim digon o bŵer 'da ni i gystadlu'n deg â nhw. Ro'n nhw hefyd yn arbennig o effeithiol yn ardal y dacl ac er i ni fynd ar y blan o 17 i 16 yn gynnar yn yr ail hanner aeth Caerlŷr â hi o 33 i 17 yn y diwedd. Yn naturiol, ro'n ni fel chwaraewyr yn ddigalon ar ddiwedd y gêm ond ro'n ni hefyd yn teimlo dros y miloedd o'r cefnogwyr odd wedi sicrhau bod y stadiwm yng nghanolbarth Lloegr yn fôr o goch ar y diwrnod.

Tan y gêm honno, rodd gobaith 'da'r Scarlets o ennill Cynghrair Magners ond dri diwrnod yn ddiweddarach, a ninne'n amlwg yn dal i deimlo'r siom, fe gollon ni i'r Gweilch o 19 i 6 ar y Strade. Fe dda'th ein tymor ni i ben gyda dwy fuddugoliaeth dda yn erbyn Caeredin a Chaerdydd, ond er cystal nethon ni chware dda'th dim gwobre i'r Clwb y flwyddyn honno.

Rodd tymor 2007–8 yn gwbwl wahanol. Fe gollon ni bob gêm yng Nghwpan Heineken, yn erbyn Clermont, Wasps a Munster ac fe bennon ni yn y chweched safle yng Nghynghrair Magners, gan ennill dwy gêm yn unig yn 2008. Y peth mwya siomedig am y tymor odd ein bod ni wedi ffaelu elwa o'r hyn nethon ni ei gyflawni yn 2006–7. Bydde hi wedi bod yn stori wahanol iawn petaen ni wedi arwyddo ambell chwaraewr pwerus o Hemisffer y De er mwyn cryfhau'r garfan. Fydde hi ddim wedi bod yn anodd denu shwd chwaraewyr yn wyneb ein llwyddiant ni y flwyddyn cynt a'n steil deniadol ni o chware. Yn lle 'nny, fe gafodd rhyw hanner dwsin o fois eu harwyddo, odd ar gyflog da, na chawson nhw ond ychydig o gême i'r tîm cynta, a'r rheini'n rhai cymharol ddibwys, tra o'n nhw gyda'r Scarlets. Bydde ca'l rhyw ddau neu dri chwaraewr o safon, am yr un arian, wedi bod yn llawer mwy buddiol.

Rodd hwylie'r garfan yn isel o'i gymharu â'r tymor blaenorol pan gafodd Phil ddylanwad positif ar y bois. Rodd ei frwdfrydedd e'n heintus ac rodd ganddo ddealltwriaeth graff o ofynion y gêm yn dilyn blynydde o chware ar y lefel ucha. Rodd e eisoes wedi ca'l profiad fel hyfforddwr mewn clybie erill ac fe elwodd y Scarlets o hynny wrth iddo gyflwyno trefniadaeth a strwythur newydd. Fe fydde fe'n rhoi pwyslais ar ddilyn amserlenni ymarfer penodol ac ar amrywio lleoliade ymarfer rhag i'r sesiyne fynd yn ddiflas. Fe fydde fe'n ymwybodol bob amser o ddatblygiade cyfoes yn y byd rygbi ac fe gafodd e Adam Carey, deietegydd a fu'n gweithio gyda thîm Lloegr pan enillon nhw Gwpan y Byd yn 2003, i'n cynghori ni ar y Strade.

Ond pan odd pethe'n mynd yn wael yn ystod 2007–8 dwi'n siŵr taw Phil fydde'r cynta i gyfadde ei fod e wedi trio'n rhy galed i wella'r sefyllfa. Fe geisiodd e ddylanwadu ar ormod o agwedde ar weithgaredd y tîm a phenderfynu, yn y diwedd, mynd mas ar y cae i hyfforddi'r olwyr yn ogystal â'r blaenwyr. Pan dda'th y tymor diflas hwnnw i ben fe gafodd Phil ei ddiswyddo. Fel rodd y flwyddyn honno'n mynd yn ei blan a finne'n tynnu at ddiwedd 'y nghytundeb gyda'r Scarlets fe benderfynes ei bod hi'n bryd i fi adel y Strade a chwilio am glwb newydd. Yn eironig, petai'r Clwb wedi gofyn i fi, ar ddiwedd y tymor cynt, i arwyddo am bedair blynedd arall, bydden i wedi bod yn barod iawn i neud 'nny.

13

Grav

R O'N I GARTRE yn Drefach y nosweth glywes i fod Grav wedi marw, ar 31 Hydref, 2007. Yn anffodus, ma pawb odd yn gyfarwdd ag e'n gwbod yn gwmws ble ro'n nhw a beth o'n nhw'n neud pan dderbynion nhw'r newydd trist. Rodd e ymhlith mawrion y byd, o gofio am y ffarwél anhygoel a gafodd e rai diwrnode wedyn ar Barc y Strade a'r parch aruthrol odd iddo fel person.

Des i i nabod Grav gynta yn 1999 pan ddechreues i chware i Lanelli. Yn ôl ei arfer, da'th i mewn i'r stafell newid a rhoi gair o groeso i fi a dymuno'n dda i fi yn y gêm gynta honno. Dyna odd dechre'r cysylltiad arbennig fu rhyngon ni yn ystod y blynydde i ddod. Y rheswm am hyn falle odd bod e'n nabod Dad ond yn bennaf am fod 'da fe shwd gyment o feddwl o Dad-cu, sef Bert Peel, odd, fel y soniais i'n gynharach, yn hen löwr ac yn ffisiotherapydd poblogaidd i dîm y Scarlets. Bu e farw yn yr ysbyty ddiwedd 1981 ar ôl ca'l ei daro'n wael mewn gêm yn erbyn Cymry Llundain.

Fe fu'n fath o mentor i Grav ar hyd ei yrfa gyda'r ddau yn meddwl y byd o'i gilydd. Pan fydde fe'n 'y ngweld i, bydde fe'n amal yn dweud, "Jiw, 'se Bert yn dy weld di nawr fe fydde fe'n browd iawn". Fel arfer, bydde fe hefyd yn adrodd rhyw stori neu'i gilydd am Dad-cu fydde wedi'i goglish e, gan greu chwerthin rhwng y ddau ohonon ni. Am Grav yn ca'l anaf yn erbyn Moseley ac fel y buodd yn rhaid i Dad-cu roi deuddeg pwyth yn ei foch e yn y stafell newid, cyn iddo fynd 'nôl ar y cae. Ond ar y bws ar y ffordd gartre, buodd Grav yn chwerthin cyment am ben Tad-cu a'i *repertoire* o straeon nes i rai o'r pwythe yn ei wyneb e fosto!

Fe fydde Grav ei hunan yn cyfadde ei fod yn heipocondriac ond bod donie'r seicolegydd odd 'da Dad-cu yn golygu ei fod e'n gwbod i'r dim shwd i drin probleme Grav. Rodd y cawr o ganolwr wedi bod yn cwyno wrth Dad-cu droeon ei fod yn diodde o ben tost cyn gêm ac yn ca'l tabledi effeithiol iawn 'da fe i wella'r anhwylder, cyn ffindo mas flynydde wedyn taw Smarties fydde Dad-cu wedi bod yn eu rhoi iddo! Dro arall, wedi i Grav ga'l *dead leg* tua diwedd hanner cynta gêm ar y Strade, fe a'th Dad-cu ati'n ddiwyd i rwbo'i goes e yn ystod yr egwyl a'i berswado fe fod y boen wedi mynd. Rodd Grav yn iawn erbyn iddo fynd mas ar gyfer yr ail hanner ond ar ôl pum munud o chware dyma fe'n sylweddoli bod Bert wedi bod yn trin y goes arall, yr un iach!

Bydde Grav, gan ei fod e'n gweitho i S4C fel ail lais am flynydde, yn ca'l cyfle i ddod lawr i'n gweld ni'n chware ar y Strade yn amal ac yn galw i'n gweld ni yn y stafell newid. Fe fydde fe'n sŵn i gyd o ran ei frwdfrydedd dros y Clwb a'r chwaraewyr ac yn donig gwerthfawr iawn cyn gêm. Wrth gwrs, rodd e'n hollol unllygeidiog wrth drafod tîm y Scarlets a thîm Cymru ond bydde pawb wrth eu bodd.

Hyd yn oed yn ystod ei salwch, rodd ei ffraethineb a'i hwyl yn dal yn heintus. Dwi'n cofio mynd gyda Stephen Jones i'w weld e yn Ysbyty Glangwili ac ynte wedi gorfod colli rhan o'i goes oherwydd effeithie'r clefyd siwgr. Rodd e wedi colli tipyn o bwyse ac rodd hynny yn ei fecso fe. "Shwd wy'n edrych, bois? Odw i'n edrych yn olreit?" odd y cwestiwn cyfarwydd ganddo ar y ward. Ond yn yr un modd rodd ei hiwmor e'n dal yn fyw. Erbyn 'nny, gan taw dim ond un goes gyfan odd 'da fe, rodd e wedi dechre cyfeirio ato'i hunan fel Long John Silver a bob hyn a hyn bydde fe'n esgus crafu'r man lle buodd unwaith hanner isa'r goes rodd e wedi'i cholli. Mae'n siŵr ei fod e droeon wedi teimlo'n isel iawn yn ystod ei salwch ond dodd e byth yn dangos 'nny. Bydde pawb gafodd dreulio amser yn ei gwmni fe yn teimlo'n well ar ôl ei adel e.

Yn haeddiannol iawn, fe gafodd Grav ma's o law ei wneud yn Llywydd Clwb Llanelli. Rodd e'n dwlu ar y Clwb a phawb yn y Clwb yn dwlu arno fe. Bydde fe'n cymryd ei ddyletswydde o ddifri ac yn ymwneud yn uniongyrchol yn amal â'r hyn odd yn digwydd ar y Strade, ac ambell waith ar adege digon anghyfleus. Ond fydde neb yn gweld bai arno gan fod popeth a wnâi yn arwydd o gyment rodd y Clwb yn ei olygu iddo. Weithe, pan fydden ni ar ganol sesiwn ymarfer y diwrnod cyn gêm bwysig, bydde Gareth Jenkins, un o ffrindie penna Grav, yn ca'l sawl galwad gan y Llywydd yn holi hynt a helynt y tîm a chyflwr iechyd ambell chwaraewr. Fydde Gareth byth yn anwybyddu'r galwade, ond yn eu cymryd nhw bob tro â gwên fawr ar ei wyneb, gan ymddiheuro i ni'r chwaraewyr, odd yn ei chanol hi yn ymarfer, gyda geiriau tebyg i "Sorry boys, I've got to take this call. It's from the President!"

Rodd bod yn angladd Grav yn un o'r profiade mwya anodd dwi eriod wedi'i ga'l ond ro'n i'n ei hystyried hi'n fraint ac yn anrhydedd 'mod i'n un o'r chwech gafodd eu dewis i gario arch Grav ar y Strade y diwrnod hwnnw. Gyda thua 10,000 o bobol wedi dod ynghyd i roi'r deyrnged olaf i Ray, rodd e'n achlysur dirdynnol. Rodd 'na ryw urddas arbennig i'r achlysur, odd yn caniatáu inni ffarwelio ag e mewn ffordd deimladwy iawn ar ei ymweliad olaf â'r Strade – lle odd yn golygu cyment iddo.

Yn naturiol, rodd 'na fwlch mawr ar ei ôl e a chwmwl dros y Clwb am beth amser. Ond dwi'n credu taw'r adeg y gweles i ei isie fe fwya odd yn Stadiwm y Mileniwm. Bob tro y bydde bỳs y chwaraewyr yn cyrradd crombil y Stadiwm, a ni aelode tîm Cymru yn dringo oddi arno i fynd i'n stafell newid, bydde Grav ar ben y grisie yn disgwyl amdanon ni. Cyfarchiad byrlymus, gwên fawr, siglo llaw â phob un, a choflaid fawr yn ogystal i fois y Strade. Dyna un o'r atgofion mwya hoffus sy 'da fi o Grav. Ond yn yr un man yn gwmws y digwyddodd un o'r profiade mwya trist a ges i eriod. Y tro cynta i fi chware i Gymru ar ôl ei golli fe gyrhaeddais i ben y grisie... a sylweddoli nad odd e yno.

14

Dyfodiad Warren Gatland

DROS DRO, RODD y cyfrifoldeb o hyfforddi tîm Cymru yn dilyn siom Cwpan y Byd yn 2007 yng ngofal cyn-gynorthwyydd Gareth Jenkins, sef Nigel Davies. Yn ei ddydd, rodd e'n ganolwr talentog a chreadigol, yn hoff o chware rygbi agored ac yn ystod ei gyfnod byr wrth y llyw fe fydde fe'n tueddu i arddel yr un steil, gan roi pwyslais ar gyflwyno'r sgilie sylfaenol er mwyn lledu'r bêl. Mae e'n gredwr cryf yn yr ABC, a hynny yng nghyd-destun rygbi sef, 'Agility Before Contact' – yr enw ar y dechneg osgoi y dyle ymosodwr ei defnyddio wrth fynd i mewn i dacl. Fe fydde'n pwysleisio taw'r ymosodwr ddyle fod yn feistr mewn sefyllfa o'r fath, nid y taclwr. Galle fe sicrhau hynny trwy ddefnyddio dullie osgoi i ddreifo mlan drwy'r dacl, gan fwrw'r taclwr o'r ffordd a'i rwystro fe rhag arafu'r bêl. Hefyd bydde neud 'nny'n llwyddiannus nid yn unig yn galluogi'r ymosodwr i ailgylchu'r bêl yn gyflym ond i ryddhau chwaraewyr erill rhag gorfod bwrw i ardal y dacl ac i fod ar ga'l i ymuno yn y chware rhydd.

Mae Nigel yn berson tawel sy ddim yn gorfod dibynnu ar weiddi er mwyn cyfathrebu â'r garfan o dan ei ofal. Dwi'n siŵr y caiff e dderbyniad da gan chwaraewyr a chefnogwyr Caerloyw, yn enwedig gan fod torf Kingsholm yn arddel yr un syniade ag ynte o shwd y dyle'r gêm ga'l ei chware. Ond ar ôl bod yn gweitho gydag e ers blynydde dwi'n edrych mlan yn fawr yn ystod y tymor nesa 'ma, ym mhrif Gynghrair Lloegr, at drio chwalu tactege Nigel!

Ei brif waith yn dilyn Cwpan y Byd odd paratoi tîm Cymru ar gyfer gêm yn erbyn De Affrica ym mis Tachwedd. Rodd hynny'n dasg anodd iawn yn enwedig yn wyneb y ffaith fod pawb mor ddigalon yn dod gartre o Ffrainc. Falle taw camgymeriad odd trefnu gêm mor galed mor gynnar wedi'r siom. Yn sicr rodd y ffaith fod rhai miloedd o docynne heb eu gwerthu yn awgrymu nad odd y cefnogwyr chwaith yn gweld lot o bwynt i'r gêm. Dodd dim graen ar ein chware ni ac ethon ni ar ei hôl hi o 22 i 0. Fe wellodd pethe rhywfaint erbyn yr ail hanner ond colli yn erbyn y Boks unwaith eto odd ein hanes ni, o 34 i 12.

Ym mis Rhagfyr 2007 dechreuodd yr hyfforddwr newydd, Warren Gatland, ar ei waith. Do'n i ddim wedi cwrdd â fe ond, wrth gwrs, rodd e'n enw cyfarwydd gan ei fod e wedi ca'l cymaint o lwyddiant gyda thîm Iwerddon a chlwb Wasps. Cafodd dau o'r bobol odd 'da fe yn Lloegr, Shaun Edwards a Rob Howley, hefyd eu penodi'n rhan o'r tîm hyfforddi. Ro'n i'n nabod Rob fel chwaraewr ond rodd Shaun yn ddieithr i fi er 'mod i'n gwbod amdano fel chwaraewr disglair dros ben yn Rygbi'r Gynghrair. Fel sy'n digwydd yn amal pan fydd hyfforddwr newydd yn cymryd yr awene, ma rhyw awch neu *buzz* newydd yn gafel yn y chwaraewyr a dyna ddigwyddodd yn yr achos yma.

Gan 'mod i wedi ca'l anaf, ches i ddim bod yn rhan o'r ymarferion cynta gafodd y garfan gyda'r tîm hyfforddi newydd, ond yn ôl y sôn fe gyflwynwyd rhai newidiade sylfaenol o'r dechre'n deg a gafodd dderbyniad da. Cyn 'nny, rodd y bois wedi dod i arfer â sesiyne ymarfer alle bara am ddwy awr – sesiyne fydde'n amal yn diflasu'r garfan. Ond o dan y tîm hyfforddi newydd, y drefn arferol fydde cynnal sesiyne odd yn para am ryw dri chwarter awr yn unig, gan adlewyrchu'r cyfnod y bydde'r bêl ar dir y chware mewn gêm ryngwladol go iawn. O ganlyniad, rodd y sesiyne'n ofnadw o galed, yn enwedig pan fydde Shaun yn rhoi sylw penodol i amddiffyn, odd wedi bod yn un o wendide'r tîm yng Nghwpan y Byd. Bydde fe hefyd am y gore yn taflu ei hunan i ferw'r gwaith caled yng nghanol y bois ac fe na'th ei ymroddiad llwyr a'i frwdfrydedd heintus argraff gynnar iawn ar y garfan. Erbyn hyn mae e wedi sicrhau bod y bois wedi perffeithio system amddiffyn *blitz* ardderchog. Ma fe hefyd yn gymeriad doniol ac emosiynol iawn.

'Sen i'n lico meddwl y byddwn i wedi bod yn y ffrâm o ran ca'l 'y newis ar gyfer y gêm gynta yn y Chwe Gwlad 2008 yn erbyn Lloegr yn Twickenham ond ro'n i wedi bwrw'n ysgwydd o'i lle ar Ionawr 1af yn erbyn Dreigiau Gwent. O ganlyniad, do'n i ddim yn gallu chware am chwech wythnos a ffaeles i ailddechre ymarfer tan yr wythnos yn arwain at y gêm yn erbyn Lloegr. Felly, ches i ddim 'yn ystyried ar gyfer honno a Mike Phillips a Gareth Cooper odd y ddau fewnwr gafodd eu dewis i'r garfan ar gyfer y daith i Lundain. Dangosodd Warren yn gynnar iawn nad odd dim ofn arno fe gorddi'r dyfroedd, wrth ddewis 13 o dîm y Gweilch i ddechre'r gêm ac yn ystod y chware fe ymunodd Ian Evans â nhw ar y cae, yn 14eg cynrychiolydd o'r clwb hwnnw.

Yr esboniad a roddwyd am y dewis anarferol odd taw dim ond y Gweilch odd yn defnyddio'r system amddiffyn *blitz* o blith prif glybie Cymru a chan taw dyna'r drefn rodd Shaun yn ei ffafrio rodd hi'n naturiol iddo ddewis cynifer o aelode tîm odd yn gyfarwydd â'r ffordd honno o amddiffyn. Wrth gwrs, ma pawb yn cofio'r canlyniad ardderchog gafodd Cymru ar y diwrnod, ar ôl hanner cynta digon siomedig. Ganol yr ail hanner rodd Cymru ar ei hôl hi o 6 i 19 ond fe gafwyd diweddglo gwefreiddiol, a ninne'n fuddugol o 26 i 19. Rodd dathlu mawr yn y stafell newid ma'n debyg, gyda Shaun yn dechre arferiad o fwrw iddi i arwain y canu gyda'i hoff gân 'Saturday Night at the Movies' – cân a glywyd yn amal ganddo wedi 'nny. Fe chwaraeodd Mike yn ardderchog yn safle'r mewnwr ac ar y dydd Llun canlynol, fe dderbyniodd wobr arbennig gan Shaun o ddwy botel o siampên fel chwaraewr gore'r gêm.

Ro'n i 'nôl gyda'r garfan ar gyfer yr ail gêm yn erbyn yr Alban. Fe geson ni wythnos gymharol ysgafn o baratoi, gan fod y bois wedi ca'l gêm mor galed yn erbyn Lloegr. Ond rodd dod 'nôl yn gamgymeriad mawr. Ro'n i'n dal i ga'l trafferth gyda'r ysgwydd ac am weddill y tymor fe fues i'n trio'i harbed hi yn ystod y sesiyne ymarfer a'r gême y bues i'n rhan ohonyn nhw. Ro'n i'n gwbod bod Mike yn chware'n dda a'i fod e bellach wedi ca'l ei le fel dewis cynta Warren. Felly, ro'n i'n awyddus i drio neud argraff ar yr hyfforddwr newydd ac rodd hi'n hollbwysig i gadw'n lle yn y garfan heb achwyn am yr anaf, odd yn gam gwag. Ro'n i wedi gobeitho hefyd y bydde'r ysgwydd yn gwella wrth i'r tymor fynd yn ei flan, ond gwaethygu na'th hi. Ro'n i'n diodde ar ôl pob gêm ond fe fues i'n twyllo'n hunan nad odd dim llawer yn bod arna i trwy gymryd tabledi lladd poen, yn lle mynd i wraidd y broblem. Wna i byth yr un camgymeriad eto!

Rodd Warren wedi cyflwyno ambell elfen newydd arall. Fe roiodd wybod i aelode'r garfan y bydde safon eu perfformiad wrth ymarfer, yn ogystal â'u chware yn ystod y gême, yn llinyn mesur ganddo wrth ddewis y tîm. Hefyd bydde fe'n ystyried unrhyw golli disgybleth yn ystod gêm cyn enwi'r tîm ar gyfer y gêm nesa. Rodd pob aelod o'r garfan felly ar flaene'u traed, fel petai, drwy gydol yr amser rodd pawb gyda'i gilydd yn ystod y tymor rhyngwladol. Fe gafwyd prawf o bolisi Warren yn gynnar yn y tymor pan na'th e bum newid, un yn unig oherwydd anaf, i'r tîm i chware yn erbyn yr Alban er cystal odd y canlyniad yn erbyn Lloegr yr wythnos cynt.

Yn Stadiwm y Mileniwm odd y gêm honno ac fel rhan

o'i fwriad i greu awyrgylch newydd i'r tîm fe drefnodd ein bod ni'n newid mewn stafell wahanol i'r un ro'n ni wedi'i defnyddio yn y Stadiwm ers y dechre. Felly, yn lle newid yn stafell draddodiadol y tîm cartre, fe symudon ni i'r stafell fydde'n ca'l ei neilltuo ar gyfer yr ymwelwyr cyn 'nny. Cofiwch fod iddi hanes o ddod ag anlwc i'r time pêl-droed mawr a fu'n ei defnyddio tra odd Wembley'n cael ei ailwampio!

Dodd ein perfformiad ni yn erbyn yr Alban ddim wedi bod yn arbennig o raenus hyd at hanner ffordd drwy'r hanner cynta. Ro'n ni'n amlwg yn well tîm na'r ymwelwyr ac yn llwyddo i greu llawer mwy na nhw. Ond er gwaetha'n methiant ni i gwblhau symudiade'n effeithiol a'n tuedd ni i fod yn esgeulus ac yn annisgybledig, dim ond o 17 i 15 ro'n ni ar y blan, gydag 20 munud i fynd. Do'n ni ddim yn gallu troi'r fantais amlwg odd 'da ni dros yr ymwelwyr yn bwyntie. Felly penderfynodd Warren, yn ei eirie fe, ddod â dau hen ben, sef Stephen a fi i'r cae yn lle James Hook a Mike Phillips i drio sicrhau'r fuddugoliaeth. A dyna ddigwyddodd a ninne'n ennill y dydd yn y diwedd o 30 i 15. Ro'n ni wedi hala dwy ran o dair o'r gêm yn hanner yr Alban a heb orfod amddiffyn rhyw lawer, tan y pum munud ola pan fuodd yn rhaid i ni weitho'n galed iawn i rwystro'r ymwelwyr rhag croesi'n llinell ni. Rodd hi'n fater o falchder i beidio ildio cais, a dylanwad Shaun yn hynny o beth yn talu ffordd.

Rodd Warren yn anhapus â disgyblaeth y tîm a'r ffaith ein bod ni wedi ildio cymaint o gicie cosb. O ganlyniad, ar gyfer ymweliad yr Eidal â Stadiwm y Mileniwm bythefnos wedyn, fe na'th e chwech newid, gyda fi a Stephen yn ca'l dechre'r gêm. Rhoiodd yr Eidalwyr dipyn o drafferth i ni ar adege ond yn y diwedd fe weithiodd ein tacteg ni o beidio chware i'w cryfder nhw, sef y llinell, yn arbennig o dda. Dim ond unwaith, ar wahân i gicie cosb, nethon ni gico'r bêl dros yr ystlys drwy gydol y gêm. Trwy ei chadw hi ar dir y byw fe orfodon ni'r ymwelwyr i redeg a thaclo llawer mwy nag o'n nhw wedi arfer neud ac erbyn y diwedd ro'n nhw wedi blino'n lân. Fe geson ni fuddugoliaeth eitha rhwydd o 47 i 8.

Ro'n i wedi gorfod dod oddi ar y cae dwy funud cyn hanner amser achos wad ar 'y mhen ond do'n i ddim wedi chware'n arbennig o dda. Ro'n i'n dal i ga'l tipyn o drafferth gyda'r ysgwydd ac yn llyncu tabledi lladd poen fel losin er mwyn gallu chware. Ches i ddim cyfle i chware yn y gême erill, yn erbyn Iwerddon na Ffrainc, er ar y pryd ro'n i'n meddwl falle y byddwn i wedi ca'l neud cyfraniad yn y naill neu'r llall.

Yn y gynta, fe gafodd Mike Phillips gerdyn melyn am roi ei ben-glin yn asenne Marcus Horan, wedi i'r Gwyddel ga'l ei daclo. Ro'n i ar y fainc ac yn gobeitho y byddwn i'n ca'l 'y ngalw i'r cae. Ond wrth gwrs fe fydde hynny wedi golygu tynnu rhywun arall bant a dodd hynny ddim yn neud llawer o sens gan fod y tîm yn neud mor dda. Felly, symudodd Shane i chware mewnwr, safle yr odd e'n gyfarwydd â hi ar un cyfnod. Yn ail, yn dilyn diffyg disgyblaeth Mike, fe fu Warren yn ystyried ei adel e mas o'r tîm i wynebu Ffrainc, ond gan ei fod e wedi bod yn chware mor dda fe gadwodd ei le. Wrth gwrs, fe gethon ni ddwy fuddugoliaeth ardderchog yn y ddwy gêm ac o ganlyniad rodd Cymru, am yr ail waith mewn pedwar tymor, wedi ennill y Gamp Lawn.

A finne dim ond wedi dechre un gêm a dod mlan fel eilydd mewn un arall, dodd 'y nghyfraniad i i'r llwyddiant ddim cyment â'r hyn y byddwn wedi'i ddymuno. Ond, mewn ffordd, ddylwn i ddim fod yn rhan ohono o gwbwl. Yn wyneb yr holl boen y buodd yn rhaid i fi ei ddiodde drwy'r tymor, dylwn i fod wedi dewis peidio â chware o gwbwl. Do'n i ddim ar 'y ngore ar y cae a do'n i ddim yn gallu paratoi'n iawn ar gyfer y gême. Ro'n i'n ffaelu codi pwyse yn y *gym* ac rodd y tîm hyfforddi'n gallu gweld 'nny ond ro'n nhw'n meddwl taw arbed yr ysgwydd ro'n i yn hytrach na'i bod hi'n rhy boenus. Ar ddiwedd y tymor, ro'n i'n hollol grac 'da fi'n hunan am fod mor dwp.

Ond rodd yn rhaid ymfalchïo yn yr hyn rodd y bois wedi'i gyflawni. O dan y gyfundrefn hyfforddi newydd, rodd y garfan yn gyfforddus o hyderus ar hyd y ffordd. Yn eironig, ar wahân i ambell chwaraewr fel Lee Byrne, yr un garfan a'th i Gwpan y Byd ychydig fisoedd ynghynt, gan berfformio mor siomedig yno. Er ei fod e'n dîm da, dodd e ddim yn dîm hapus ac rodd safon y chware'n siomedig yno. O ran safon ffitrwydd yn y gampfa do'n ni ddim gwell yn 2008 na'r hyn ro'n ni yn 2007. Ond, yn sgil y math o ymarfer ro'n ni wedi bod yn ei wneud ro'n ni'n sicr yn fwy ffit o ran yr hyn ro'n ni'n gallu ei gyflawni ar y cae, ac rodd yr ystadege'n dangos 'nny.

Rodd ein polisi ni o beidio cico'r bêl dros yr ystlys wedi talu ffordd. Yn erbyn Ffrainc, rodd y bêl ar y tir am 46 munud – odd yn record i gêm rygbi ryngwladol. Mae'n amlwg bod polisi o'r fath wedi dweud ar ein gwrthwynebwyr wrth i'r gême fynd yn eu blaene oherwydd yn ail hanner gême'r Chwe Gwlad fe sgoron ni gyfanswm o 107 o bwyntie, i 24 gan y pum gwlad arall. Rodd ein hamddiffyn ni hefyd wedi gwella mas draw ac yn y pum gêm chwaraeon ni yn y Bencampwriaeth dim ond dau gais yn unig ildion ni.

O ran yr ymateb cyffredinol ar ôl ennill y Gamp Lawn yn 2008 byddwn i'n dweud bod mwy o gyffro yn dilyn ein llwyddiant yn 2005. Rodd y tîm heb gyflawni'r gamp honno ers 27 mlynedd, odd yn neud y cyfan yn fwy sbesial. Rodd y math o rygbi gafodd ei chware 'da ni yn 2005 yn fwy cyffrous tra bo perfformiade 2008 yn fwy clinigol a phroffesiynol. A finne'n gweithio i Radio Cymru yn y Stadiwm pan enillon ni'r Gamp Lawn yn erbyn Ffrainc eleni, ro'n i'n meddwl bod y cynnwrf a'r gorfoledd o ganlyniad i'r fuddugoliaeth hyd yn oed yn llai nag odd e yn 2005 a 2008. Falle'n bod ni'n dechre cymryd ennill y Gamp Lawn yn ganiataol!

Ro'n i'n gwbod bod gofyn i fi neud rhywbeth ynghylch 'yn ysgwydd cyn dechre'r tymor newydd gyda Sale. Felly, fe drefnes i, ym mis Mai 2008, i ga'l llawdriniaeth 'twll clo' ym Manceinion. Oherwydd 'nny, ches i ddim 'yn ystyried ar gyfer taith tîm Cymru i Dde Affrica. Rodd Mike Phillips yn yr un sefyllfa, felly y ddau fewnwr gafodd eu ffafrio gan y dewiswyr odd Gareth Cooper a Warren Fury, odd yn enw cymharol newydd i ddilynwyr rygbi Cymru. Fe gafodd ei eni yn Abertawe ac a'th e i Ysgol Bishopston. Ond o dan Warren Gatland a Shaun Edwards yng nghlwb Wasps na'th e ei enw ar y lefel ucha. O ganlyniad, fe gafodd ei enwi ar gyfer carfan Cymru yn 2005 ond buodd yn rhaid iddo dynnu 'nôl o achos anaf. Rodd e yn y garfan eto yn 2009 ac ynte wedi dod i'r cae yn y ddwy gêm brawf yn erbyn De Affrica yn 2008. Bryd 'nny, rodd e'n chware i'r Gwyddelod yn Llundain ond bellach mae e ar lyfre Caerfaddon.

Erbyn hydref 2008 ro'n i'n chware i Sale ac yn holliach unwaith eto. Fe ges i 'newis ar y fainc ar gyfer y gêm yn erbyn De Affrica, gyda Gareth Cooper yn dechre yn safle'r mewnwr. Fe ges i ddod i'r cae a cha'l gêm eitha da wrth i ni golli unwaith eto yn erbyn y Boks, 20–15. Ro'n i'n eitha siomedig o ddeall na fyddwn i'n dechre'r gêm nesa yn erbyn Canada a taw Martyn Roberts o dîm y Scarlets fydde'n ca'l y fraint. Dywedwyd wrtha i taw'r bwriad odd rhoi profiad iddo ar y lefel ryngwladol yn erbyn Canada rhag ofn y bydde angen iddo chware yn erbyn Awstralia neu Seland Newydd, petawn i neu Gareth yn ca'l anaf. Fe ges i ddod oddi ar y fainc yn erbyn Canada a chymryd yr awene fel capten, er nad on i'n ddigon da i ddechre'r gêm!

O ystyried 'mod i wedi chware'n iawn yn erbyn De Affrica ro'n i'n siomedig na ches i ddechre'r gêm yn erbyn y Crysau

Duon, a hefyd bod neb o'r tîm hyfforddi wedi trafferthu egluro pam wrtha i. Unwaith eto fe ges i ddod i'r cae ond nid y gêm odd y pwnc siarad ar ddiwedd y dydd, gyda Chymru'n colli, 29–9. Yr hyn a'th â sylw'r byd rygbi odd penderfyniad tîm Cymru, ar ddiwedd yr *haka* traddodiadol, i herio'r Crysau Duon drwy sefyll yn eu hunfan, lygad yn llygad â'r ymwelwyr, heb ildio'r un fodfedd o dir. Rodd hynny wrth gwrs yn hollol groes i'r hyn fydde'n digwydd fel arfer, pan fydde'r tîm odd yn wynebu'r *haka* yn symud oddi yno ar ddiwedd y ddefod er mwyn dechre'r gêm.

Rodd yr awyrgylch yn y Stadiwm yn drydanol a'r digwyddiad wedi cyffroi'r dorf gyfan. Ro'n i'n falch dros ben o fod yn rhan o'r profiad ac, wrth siarad â bois y Crysau Duon ar ôl y gêm, fe glywson ni eu bod nhw hefyd wedi mwynhau'r achlysur yn fawr. Syniad Warren odd y cyfan ac er mwyn neud yn siŵr na fydde'n bwriad ni'n debyg o gael ei ddehongli fel arwydd o ddiffyg parch tuag at hen ddefod yr *haka*, rodd e wedi ymgynghori ag un o'r hynafiaid Maori 'nôl yn Seland Newydd a cha'l ar ddeall na fydde'r cynllun yn debyg o gorddi'r dyfroedd. Ond, er cymaint na'th y dorf a'r chwaraewyr fwynhau'r digwyddiad, lwyddodd e ddim i fwrw'r Crysau Duon oddi ar eu hechel ac ethon nhw mlan i ennill yn weddol gyffordus.

Do'n i ddim ar ga'l ar gyfer gêm ola'r hydref yn erbyn Awstralia achos fe fu'n rhaid i fi fynd 'nôl i Sale i chware'n erbyn Caerlŷr ar y penwythnos hwnnw. Rodd y gêm honno y tu fas i'r cyfnod rodd yr IRB yn ei ganiatáu ar gyfer rhyddhau chwaraewyr yn awtomatig i chware i'w gwlad.

15

Mas o'r Garfan Genedlaethol

R ODD TYMOR Y Chwe Gwlad yn 2009 yn un o'r cyfnode mwya siomedig yn 'y ngyrfa i. Ces i ddod i'r cae, yn eilydd i Mike, yn erbyn Lloegr, yr Alban a Ffrainc, gan chware'n eitha da, wrth inni ennill y ddwy gynta a cholli mewn gêm agos yn erbyn y Ffrancod. Ro'n i wrth 'y modd 'mod i wedi ca'l 'y newis i ddechre'r gêm yn erbyn yr Eidal bythefnos wedyn. Ro'n i'n edrych mlan at gael y cyfle i ddangos i Gatland, Howley ac Edwards beth o'n i'n gallu neud o ga'l y cyfle iawn, a hynny am y tro cynta, mewn gwirionedd, ers iddyn nhw ddod i hyfforddi tîm Cymru.

Fe fydde tîm y Llewod yn ca'l ei ddewis ar ddiwedd y tymor hwnnw i fynd i Dde Affrica. Gan dderbyn y bydde Mike yn siŵr o fynd, bod Harry Ellis yn ddewis posib, bod Thomas O'Leary'n ansicr o'i le yn nhîm Iwerddon ar y pryd a bod Danny Care wedi ca'l anaf eitha drwg, ro'n i'n meddwl bod eitha siawns 'da fi o ga'l mynd ar y daith honno. Rodd pythefnos rhwng gêm Ffrainc a'r gêm yn erbyn yr Eidal, felly, yn y cyfamser es i 'nôl i chware i Sale yn erbyn Newcastle yn ddigon hapus 'y myd. Yn ystod y gêm honno, rhwyges i linyn y gâr – rodd y rhwyg yn 6cm o hyd a ches i ddim chware am chwe wythnos. Fe wnes i ailafel ynddi i Sale gyda rhyw ddwy gêm yn weddill o'r tymor. Ro'n i felly wedi colli'r cyfle o ga'l 'yn styried ar gyfer taith y Llewod.

Ym mis Mai 2009 gofynnwyd i fi a o'n i isie mynd i Ganada a'r Unol Daleithiau gyda thîm Cymru. Rodd y rhan fwya o'r tîm cynta ar ddyletswydd gyda'r Llewod yn Ne Affrica felly ail dîm i bob pwrpas fydde'n ymgymryd â'r daith. Ond ro'n i'n daer iawn i fynd, am sawl rheswm. Yn gynta, fe fydde'n gyfle i fi adennill 'yn ffitrwydd ar ôl yr anaf, trwy ymarfer a chystadlu ar lefel ryngwladol. Yn ail, rodd e'n gyfle i fi wisgo'r crys coch unwaith eto, profiad bydda i'n ei drysori bob amser. Fe fydde'n gyfle hefyd i fi weld America am y tro cynta ac i ailymweld â Chanada – gwlad ro'n i wedi mwynhau'n fawr pan es i draw 'na rai blynydde ynghynt. Yn olaf, rodd y garfan dan ofal Robin McBryde, rhywun rodd 'da fi barch mawr tuag ato a rhywun ro'n i wedi ca'l llawer o hwyl yn ei gwmni fe ar sawl achlysur yn y gorffennol.

Rodd hi braidd yn anodd i Robin ar y daith oherwydd rodd gofyn iddo, fel hyfforddwr y garfan, fod yn eitha llym o ran cadw disgybleth a cha'l sylw a chydweithrediad yn y sesiyne ymarfer. Fe dda'th e i ben â hi'n iawn, gan ennill parch y garfan i gyd. Ar un ystyr, mae e wedi gorfod gweitho'n galed i ennill ei blwy ymhlith y tîm hyfforddi. Wedi'r cyfan, rodd Warren, Shaun a Rob Howley wedi bod yn cydweithio yng nghlwb Wasps cynt, felly rodd hi'n anoddach o dipyn i Robin neud ei farc ac ynte heb fod yn rhan o'r drindod fel petai. Ond ma fe'n haeddu pob clod am y ffordd ma fe wedi gweitho ar ei sgilie ei hunan a sgilie'r bois, i sicrhau bod pac Cymru gyda'r mwya cadarn yn y byd. Galle rhai o'r blaenwyr a fu dan ei gyfarwyddyd e'n hawdd ga'l eu dewis yn nhîm goreuon y byd. Rhyw chwech neu saith mlynedd yn ôl fydde fawr neb o dîm Cymru yn haeddu'r fath gydnabyddiaeth.

Rodd arna i dipyn o ddyled i Robin. A finne'n 17 mlwydd oed yn dechre ar y Strade, fe fu e'n gofalu amdana i ac yn gymorth mawr i fi ga'l 'y nhraed odana i. Rodd e'n gapten ar y pryd ac yn un o'r chwaraewyr mwya profiadol, ac yn byw yn y Tymbl fel fi. Er y cyfrifoldebe arbennig odd 'da fe ar y daith i Ganada ac er bod disgwyl iddo gadw hyd braich, fe gethon ni'n dau ddigon o gyfle i ga'l tamed o sbort gyda'n gilydd bob hyn a hyn. Rodd Rob yn amal ynghanol rhyw ddrygioni ar y Strade, a finne weithe'n diodde o'r herwydd.

Dwi'n cofio un nosweth San Ffolant ro'n i wedi coginio pryd rhamantus i Jess, a ninne newydd symud i mewn i'n cartre newydd yn Drefach. Yn ystod y pryd, fe sylwodd Jess ar ryw greadur cythreulig o fawr a chanddo lyged anferth ynghanol tywyllwch yr ardd. Fe gethon ni lond bola o ofan gan feddwl i ddechre taw *stalker* odd 'na, cyn ffindo yn y diwedd taw tedi-bêr anferth odd e. Gan fod rhywbeth yn bod ar gar Robin ro'n i'n galw amdano i fynd i'r Strade y bore wedyn. Dyma fe'n gofyn i fi a o'n i wedi neud rhywbeth arbennig y noson cynt, a finne'n sôn am y profiad o ga'l anghenfil yn yr ardd. Wrth adrodd yr hanes, a gweld rhyw wên fach yn dechre tyfu yng nghornel 'i geg e, ro'n i'n gwbod yn syth taw fe odd wedi bod wrthi!

Rodd Robin wedi ca'l gafel ar allweddi sbâr 'y nghar i ar un adeg, a dodd dim dal ble byddwn i'n dod o hyd i'r car wedyn. Un tro fe gafodd ei ffindo ar gylchdro reit ynghanol y ffordd fawr ar bwys Trimsaran gydag arwydd 'Ar Werth' arno, a'n rhif ffôn i. Do, fe dda'th sawl galwad wedyn oddi wrth bobol odd isie'i brynu fe! Dro arall, tra o'n i ar ddyletswydd gyda charfan Cymru yng Ngwesty'r Vale, ar bwys Caerdydd, fe barciodd e 'nghar i'n dynn yn erbyn prif fynedfa'r gwesty, gan achosi pob math o brobleme mynd a dod.

Ma'n debyg taw ei gamp fwya uchelgeisiol odd yr un a gyflawnodd ar gartre Iwan Jones, blaenasgellwr y Scarlets, pan odd Robin yn dal i weithio i'r Bwrdd Trydan. Fe lapiodd e dŷ Iwan i gyd, o'r corn simdde i'r llawr, â'r *polythene* melyn y bydde fe'n ei ddefnyddio wrth ei waith i ddangos bod ceblau peryglus yno. Rodd yr holl le fel ardal argyfwng! Yn ogystal ag achosi panig i'r Jonesiaid, fe lapiodd yr un papur am gar y bachan odd yn byw drws nesa iddyn nhw, sef fi!

Ma'n rhaid bo' fi wedi ca'l prentisiaeth dda o dan Robin achos dwi'n amal wedi bod yn ei chanol hi o ran neud rhyw ddrygioni neu'i gilydd. Un fydde'n ca'l ei bryfoco'n amal odd yr asgellwr, Mark Jones. Mae e'n fachan agos at ei le a falle taw'r rheswm ei fod e'n destun cyment o dynnu coes odd am ei fod e'n derbyn y pryfoco mor dda bob amser. Yn ystod Cwpan y Byd yn Ffrainc yn 2007 fe fydden ni'n defnyddio tipyn ar feicie'r gwesty i reido i'r dre yn ystod ein hamser hamdden. Un diwrnod, gyda chymorth Matthew Rees ac Alix Popham, fe ges i afel ar tua 21 beic a'u rhoi nhw'n un domen yn stafell Mark!

Do, fe ga'th e dipyn o sioc, fel y gwnes inne ychydig ddiwrnode wedyn pan gerddes i mewn i'n stafell a ffindo dafad yno, y lle'n llawn dom ac yn drewi'n ofnadw! Ma Mark yn fab ffarm ac rodd e wedi citsio mewn dafad odd yn pori mewn cae ar bwys y gwesty ac wedi'i chario hi o dan ei fraich i'n ystafell i. Er bod Matthew ac Alix yn rhan o'r cynllwyn gyda'r beics dim ond arna i na'th Mark ddial, am 'mod i wedi chware cyment o dricie arno fe yn y gorffennol.

Rodd gêm gynta'r daith ym mis Mai 2009 yn Toronto yn erbyn Canada ar gae bach Prifysgol York ac fe ges i ddod oddi ar y fainc yn lle Gareth Cooper. Ca'l a cha'l odd hi tan yn gynnar yn yr ail hanner gyda'r ddau dîm yn gyfartal 16–16, ond trwy gicie cosb Dan Biggar fe enillon ni o 32 i 23. Yna, symud mlan i Chicago i chware yn stadiwm mawr pêl-droed Chicago Fire, a finne'n ca'l dechre gêm yn y crys coch unwaith eto gan ennill cap rhif 68. Rodd y ffaith i fi ga'l gêm fach dda, ac i ni ennill o 48 i 15, yn ychwanegu at y pleser. Yn y gêm honno enillodd Sam Warburton ei gap cynta.

Un digwyddiad arall roiodd bleser i fi'r diwrnod 'nny odd 'mod i wedi gorfod chware yn safle'r cefnwr am ddeng munud ola'r gêm – profiad newydd a gwahanol. Ond nid fel 'nny rodd pethe fod i ddigwydd. Rodd Gareth Cooper wedi dod oddi ar y fainc i gymryd lle Tom James, odd wedi gorfod symud i chware yn safle'r cefnwr. Dodd Gareth ddim yn ffansïo 'nny o gwbwl, felly pan dda'th e ar y cae fe ddwedodd e wrtha i, o ran diawlineb, ei fod e wedi ca'l ordors i chware yn safle'r mewnwr a bo' finne i fynd i safle'r cefnwr. A fi odd capten y tîm am y cyfnod y bues i ar y cae, gan fod Ryan Jones wedi gorfod gadel oherwydd anaf!

Yn anffodus, unwaith eto, pan chwaraeodd Cymru gêm gynta'r hydref dodd hi ddim yn bosib i fi ga'l 'yn ystyried ar ei chyfer hi gan ei bod hi'n ca'l ei chynnal y tu fas i'r cyfnod rodd yr IRB yn ei ganiatáu ar gyfer ryddhau chwaraewyr o'r clybie. Felly, rodd yn rhaid i fi fod ar ddyletswydd gyda Sale yn ystod y cyfnod yn arwain at gêm Cymru yn erbyn y Crysau Duon, a Gareth Cooper, a Martyn Roberts yn eilydd iddo, gafodd eu dewis. Ro'n i'n bles iawn o fod 'nôl yn y tîm yn erbyn Samoa y nos Wener wedyn ac o ga'l un o 'ngême gore dros Gymru ers peth amser, mewn buddugoliaeth glòs o 17 i 13.

Ond dodd hynny ddim yn ddigon i sicrhau y byddwn i'n ca'l dechre'r gêm nesa yn erbyn yr Ariannin. Gareth Cooper gafodd ei ddewis. Ond fe ges i ddod oddi ar y fainc yn ystod y gêm ac fe gadwes i'n lle yn erbyn Awstralia yr wythnos wedyn mewn gêm ddigon rhyfedd ar un ystyr. Ar y dechre, ro'n ni'n well na'r ymwelwyr mewn sawl agwedd ar y chware, eto ro'n ni ar ei hôl hi 23–12 ar yr egwyl, ac fe gethon ni goten erbyn y diwedd o 12 i 33. Bues i oddi ar y cae am ychydig oherwydd anaf gwaed ac yn y cyfamser da'th Martin Roberts mlan yn 'yn lle i. Rodd anafiade i Shane Williams a Leigh Halfpenny yn llawer mwy difrifol gan y buodd raid iddyn nhw roi'r gore iddi'n gymharol gynnar yn y gêm.

Dim ond dau ymddangosiad, oddi ar y fainc, ges i i Gymru yn Chwe Gwlad 2010. Ches i ddim chware chwaith yn erbyn De Affrica yng Nghaerdydd ddechre Mehefin ac er y gofynnwyd i fi a fyddwn i ar ga'l y mis Mehefin hwnnw i deithio dramor gyda thîm Cymru i Seland Newydd fe fu'n rhaid i fi wrthod, gan fod 'da fi anaf i'r afl (*groin*). Y tri mewnwr a'th ar y daith odd Mike, Richie Rees a Tavis Knoyle. Yn ystod haf 2010 fe ges i lawdriniaeth i'r afl.

Er i fi ga'l 'yn anwybyddu ar gyfer gême'r hydref yn 2010 ro'n i 'nôl yn y garfan ar gyfer y Chwe Gwlad rhyw ddeufis wedyn. Fe ges i ddod ar y cae yn erbyn Lloegr ond rodd yr afl wedi dechre rhoi lo's i fi unwaith eto. Felly, oherwydd yr anaf, ches i ddim 'yn ystyried ar gyfer y gêm yn erbyn yr Alban ac fe gymerodd Tavis 'yn lle i ar y fainc. Rodd yn rhaid i fi dynnu 'nôl o'r garfan ar gyfer yr Eidal hefyd, ond dodd hynny ddim yn ofid i fi o gwbwl y tro hwnnw. Ro'n i moyn bod gyda Jess ar enedigaeth ein babi cynta ni, odd yn brofiad ffantastig. Cafodd Elis ei eni ar Chwefror 21 yn Ysbyty Glangwili ac erbyn hyn, fe wrth gwrs yw'r peth pwysica yn ein bywyd ni. Ro'n i'n digwydd bod ar ddyletswydd gyda charfan Cymru yn ystod y cyfnod, felly rodd hi'n neud sens i Jess ddod 'nôl i Gwm Gwendraeth i aros gyda'r teulu gan fod y babi ar fin cyrradd. Ond ma rhai'n credu bo' ni wedi dod 'nôl yn arbennig i Gymru ar gyfer yr enedigaeth i neud y siŵr na fydde Lloegr yn gallu dewis Elis i chware iddyn nhw rhyw ddiwrnod!

Ro'n i 'nôl ar y fainc yn erbyn yr Iwerddon ond heb ga'l y cyfle i ddod i'r cae, wrth i ni ennill o 19 i 13 yn dilyn cais dadleuol gan Mike Phillips. Fe ddes i mlan yn erbyn Ffrainc ar ôl 60 munud, mewn gêm siomedig gydag anafiade a diffyg disgyblaeth yn cyfrannu at y ffaith i ni ga'l ein maeddu o 28 i 9. Dyna odd y tro dwetha i fi wisgo'r crys coch ac mae'n rhaid i fi gyfadde 'mod i'n siomedig iawn na ches i 'newis wedi 'nny. Ma'n wir bod anafiade ar adege anffodus wedi drysu rhywfaint ar 'y ngyrfa i gyda Chymru yn ystod y blynydde dwetha. Ma hynny wedi bod yn fendith, ar un ystyr, oherwydd ma'r amser dwi wedi bod mas o'r gêm wedi sicrhau 'mod i'n fwy ffres ac wedi rhoi mwy o awch i'n chware a'n ffordd i o feddwl am y gêm. Dwi'n gwbod 'mod i'n ddigon da o hyd i gynrychioli 'ngwlad a dwi'n teimlo y gallwn i fod wedi ca'l 'y nhrin yn well. Ond dwi'n sylweddoli nad yw'n enw i erbyn hyn yn agos at frig y rhestr o fewnwyr y bydd dewiswyr tîm Cymru yn eu hystyried.

Dwi wedi trio meddwl am reswm pam bod 'nny wedi digwydd. Yn sicr, dyw chware y tu fas i Gymru ddim wedi helpu'n achos i. Oherwydd dwi ddim wedi bod ar ga'l i'r garfan genedlaethol ar gyfer ambell gêm ryngwladol yn ystod y blynydde dwetha. Do'n i ddim ar ga'l chwaith, oherwydd rheole'r IRB, ar gyfer yr ychydig wythnose cynta o baratoi ar gyfer Cwpan y Byd 2011, felly ches i ddim 'y newis i fynd i Seland Newydd. Fe weles i bob un o gême Cymru ar y teledu ac ma'n rhaid dweud bod y bechgyn wedi chware'n arbennig o dda. O ganlyniad rodd yn rhaid i'r dewiswyr gadw'u ffydd yn y garfan ar gyfer y tymor dwetha. Ond ro'n i wedi gobeitho y bydde'r dewiswyr wedi meddwl bod rhywbeth 'da fi i'w gynnig ar y daith i Awstralia yr haf dwetha.

Bydd hi'n ddiddorol gweld beth fydd safbwynt y dewiswyr yn y dyfodol wrth ystyried y chwaraewyr sy'n chware y tu fas i Gymru. Erbyn hyn ma cymaint o'r bois yn chware yn Lloegr ac yn Ffrainc a falle y bydd yn rhaid iddyn nhw newid eu hagwedd a'u polisi o ran dewis chwaraewyr. Dyw chware yn Lloegr ddim yn 'y neud i'n llai o Gymro ac ma'r awydd i gynrychioli 'ngwlad mor fyw ag eriod. Dwi'n teimlo'n gryf y byddwn i wedi gallu cyflawni llawer mwy i dîm Cymru tasen i wedi ca'l y cyfle. Dwi'n dal i chware'n rheolaidd ar y lefel ucha yn Lloegr, yn erbyn rhai o chwaraewyr gore'r byd, ac yn ca'l adroddiade ffafriol o ran safon 'yn chware i.

Ma rhai o'r farn 'mod i falle'n ca'l 'yn anwybyddu gan y dewiswyr oherwydd bod llygaid Warren a'r tîm bellach ar y Cwpan y Byd nesa, pan fydda i, falle yn 'rhy hen' yn eu barn nhw. Ond dim ond 33 oed fydda i bryd 'nny – bydd Mike Phillips yn 32 oed ac mae mewnwyr nodedig fel George Gregan, Agustín Pichot ac Alessandro Troncon i gyd wedi chware yng Nghwpan y Byd pan o'n nhw'n henach nag y bydda i yn 2015. Dwi ddim wedi rhoi'r twls ar y bar o ran gwisgo'r crys coch unwaith eto. Ma'r tymor presennol, 2012–13, yn un hollbwysig i fi a dwi'n mynd i roi un cynnig taer arall ar drio adennill 'yn lle yng ngharfan Cymru. Galle'r ffaith fod Sale eleni yn chware yng Nghwpan Heineken, yn yr un grŵp â Gleision Caerdydd, fod o help i'n achos i, am y ca' i fwy o gyfle i ddod i sylw dewiswyr tîm Cymru. Ond yn anffodus fe golles i'r gêm gyntaf yn eu herbyn nhw oherwydd anaf. Gawn ni weld...

16

Dyddie dyrys Sale

O RAN YR holl hyfforddwyr sy wedi bod wrthi yn Sale ers i fi arwyddo iddyn nhw yn 2008 dwi wedi ca'l tamed bach o siom. Dwi newydd ddechre ar 'y mhumed tymor gyda'r Clwb a dwi wedi gweld wyth hyfforddwr wrth y llyw. I ddechre, Philippe Saint-André odd y Cyfarwyddwr Rygbi – hyfforddwr presennol tîm Ffrainc, a enillodd 69 cap i'w wlad fel chwaraewr. Rodd e wedi ca'l llwyddiant fel hyfforddwr gyda Chaerloyw cyn symud i Sale, lle y parhaodd i neud argraff am rai blynydde. Yn 2005, enillodd y Clwb Gwpan Her Ewrop cyn dod yn Bencampwyr Prif Gynghrair Lloegr y flwyddyn wedyn ac yn sicr cafodd y llwyddiant hwnnw, a'r garfan nodedig odd gan y Clwb, ddylanwad mawr arna i pan fu Philippe a Kingsley Jones yn trio 'yn arwyddo i ar gyfer tymor 2008–9.

Yn anffodus, yn fuan wedyn, cyhoeddodd Philippe y bydde fe'n gadel ymhen rhai misoedd i fod yn Gyfarwyddwr Hyfforddi gyda chlwb Toulon yn Ffrainc. O ganlyniad, ches i ddim elwa llawer o'i ddonie fel hyfforddwr oherwydd, yn ystod y cyfnod wedyn pan odd e yn Sale, rodd fel petai e wedi colli rhywfaint o ddiddordeb ac rodd ei feddwl ar yr hyn rodd e'n ei ddisgwyl yn Toulon. Fel na'th e yng Nghaerloyw, rodd e wedi denu nifer o Ffrancwyr i chware i'r clwb ac rodd cymal yn eu cytundebe nhw yn rhoi'r hawl iddyn nhw adel Sale pe bydde Philippe yn gadel. Ar ddiwedd y tymor hwnnw fe ymunodd chwaraewyr disglair, fel Sebastien

Chabal, a nifer o Ffrancwyr erill â'u hyfforddwr yn Toulon, fel na'th capten Sale, Fernández Lobbe. Yn ogystal â'u hawydd i barhau i chware o dan Saint-André rodd modd i chwaraewyr yng Nghynghrair Ffrainc erbyn hynny ennill llawer mwy o arian nag odd ar ga'l iddyn nhw yn Sale. Collwyd hefyd wasanaeth y seren o Seland Newydd, Luke McCallister a ymunodd ag Auckland.

Felly, erbyn 'yn ail dymor i yn y Clwb, rodd rhai o hoelion wyth y garfan wedi diflannu, ac rodd 'nny'n dipyn o siom. Rodd Chabal yn fachan ffein ofnadw, yn gwbwl wahanol i'r ddelwedd sy 'da fe ar y cae o fod yn dipyn o 'ddyn gwyllt o'r coed'. Rodd ei agwedd e a Sebastien Bruno at fywyd a thuag at y gêm yn ddigon hamddenol – bydde isie tipyn o berswâd arnyn nhw i fynd mas i ymarfer pan fydde'r tywydd yn wael. Yn yr un modd, rodd colled fawr ar ôl Juan Fernández Lobbe. Ddyle'r Clwb ddim fod wedi gadel iddo fynd. Rodd e mor werthfawr, ond dodd Sale ddim yn gallu cystadlu â'r arian rodd Toulon yn folon ei dalu iddo. Ac ynte'n wythwr gwych, fe odd prif begwn y tîm yn Sale ac yn arweinydd naturiol. Rodd hi'n fraint ca'l chware gydag e a cha'l ei nabod e.

Wedi i Saint-André fynd, fe gymerodd Kingsley Jones at yr hyfforddi. Cyn 'nny bydde fe'n neud ei ddyletswydde gyda'i ffraethineb arferol ond dodd e ddim yn ymwneud yn uniongyrchol â'r ochor hyfforddi. Ond ac ynte bellach, tan ddiwedd y tymor, yn gorfod delio â'r bois yn ddyddiol ar y cae ymarfer dodd dim llawer o le i Kingsley ddangos ei ddonie naturiol fel jôciwr. Fe ffindiodd e bod y newid hwnnw damed bach yn drech na fe ac ro'n i'n teimlo ei fod e'n gweld y gwaith hyfforddi yn anodd braidd. Ond fe orffennon ni yn y pedwerydd safle yn y Gynghrair, odd yn eitha parchus.

Y tymor wedyn fe dda'th Jason Robinson, cyn asgellwr Lloegr yn Rygbi'r Gynghrair a Rygbi'r Undeb, i neud y gwaith hyfforddi, gyda Kingsley'n gweithredu fel rhyw fath o fugail dros y cyfan. Rodd Jason, a fu'n chware i Sale rhwng 2000 a 2007, wedi ennill pob anrhydedd bosib fel chwaraewr ac ar y cae hyfforddi rodd e'n well na'r un ohonon ni. Fe ges i'r fraint o chware gydag e ar daith y Llewod i Seland Newydd yn 2005 a'i ga'l e'n berson hyfryd – rodd parch mawr iddo gan y bois a'r Clwb yn gyffredinol. Fe fu'n lysgennad gwych i Sale tra buodd e yno ond yn anffodus da'th ei gytundeb i ben ar ôl rhyw wyth mis ac rodd colled fawr ar ei ôl. Y tymor hwnnw hefyd fe gyrhaeddodd hyfforddwr arall i gynorthwyo gyda'r cefnwyr odd yn un o sêr y byd rygbi yng Nghymru flynydde yn ôl, sef Byron Hayward, cyn-faswr Glyn Ebwy. Erbyn hyn mae e wedi dechre neud enw iddo'i hunan ar y lefel ryngwladol fel hyfforddwr tîm Cymru dan 20.

Tymor siomedig odd hwnnw yn Sale, yn gorffen yn yr 11eg safle, er i ni faeddu Toulouse a Chaerdydd yng Nghwpan Heineken. Fe 'nes i arwyddo cytundeb newydd i aros gyda Sale am ddwy flynedd ychwanegol. Rodd ambell glwb arall yn awyddus i fi ymuno â nhw ond, er gwaetha perfformiad siomedig y tîm, ro'n i'n hollol hapus i aros lle ro'n i tan ddiwedd y cytundeb.

Ar lefel bersonol, rodd y flwyddyn honno yn uchafbwynt i fi. Ro'n i'n nabod Jessica Thomas ers dyddie ysgol ym Maes Yr Yrfa ond aeth rhai blynydde heibio cyn inni ddechre mynd mas gyda'n gilydd. Ar ôl bod yn caru am rai blynydde fe briodon ni ar Orffennaf 3, 2010, yn Eglwys Porth Tywyn. Heb amheuaeth, dyna odd y cytundeb gore i fi ei arwyddo eriod! O'r gwasanaeth, fe symudon ni mlan i Dalacharn ar gyfer y wledd i gwblhau diwrnod ffantastig i Jess a finne.

Ar gyfer tymor 2010–11 da'th Mike Brewer, cyn-flaenasgellwr gyda'r Crysau Duon, yn hyfforddwr Clwb Sale, gyda Kingsley'n gweithredu fel Cyfarwyddwr Rygbi. O ran ein patrwm chware ni fe newidiodd e bethe. Rodd y paratoi yn llawer mwy proffesiynol gyda phwyslais ar wyddoniaeth chwaraeon, a sylw arbennig yn ca'l ei roi i ddatblygu'r corff trwy godi pwyse. Rodd Mike hefyd am i'r chwaraewyr eu hunen gymryd cyfrifoldeb am eu ffitrwydd gan adel iddyn nhw benderfynu shwd o'n nhw am ymarfer o ddydd Llun i ddydd Gwener. Gwaith yr hyfforddwyr yn ei farn e yn syml odd hwyluso rhaglenni ymarfer i'r chwaraewyr ga'l eu defnyddio fel ro'n nhw'n gweld ore. Hefyd, wrth ymarfer symudiade, rodd disgwyl i ni bellach ga'l sesiyne corfforol a thaclo ein gilydd. Mewn geire erill, cyflwynodd Mike strwythur llawer mwy caled. Rodd e'n gredwr cryf mewn ca'l y bois i chware'r gêm fel bydden nhw'n ei gweld hi'n datblygu. Rodd e am i ni i ymateb yn reddfol i'r hyn odd yn digwydd ar y cae yn hytrach na thrio dilyn rhyw systeme arbennig odd wedi ca'l eu llunio mlan llaw.

Fe newidiodd e dipyn ar y garfan odd 'da ni, gan ei fod e'n credu nad odd rhai o'r chwaraewyr wedi bod yn tynnu'u pwyse. Fe gyhoeddodd yn gynnar ar ôl iddo gyrradd y bydde'n cymryd tair blynedd iddo fe ga'l y garfan rodd e moyn yn Edgeley Park. Ro'n i'n edrych mlan at chware odano fe ac yn teimlo'n siarpach nag o'n i wedi'i neud ar ddechre tymor. Hefyd, rodd y newidiade diweddar yn rheole'r Bwrdd Rygbi Rhyngwladol, odd yn rhoi mwy o raff i dime yn ardal y dacl wrth ymosod, yn golygu y bydde mwy o chware agored, fydde'n siwto fi i'r dim.

Dim ond tair gêm mas o'r naw gynta nethon ni ennill ac ar ôl cwpwl o fisodd rodd Mike wedi colli cefnogaeth y stafell newid. Rodd ei agwedd ar y cae ymarfer yn rhy galed a'i feirniadaeth ar ôl gême yn rhy llym. Enghraifft o hynny odd y ffordd y câi Charlie Hodgson, maswr y Clwb ers tua 10 mlynedd ac un o brif sgorwyr pwyntie'r Gynghrair, ei drin ganddo. Rodd ei gytundeb ar y pryd yn dod i ben ddiwedd y tymor hwnnw, eto dodd dim sôn am ei gadw fe yn Sale. Rodd e wedi ca'l anaf drwg a buodd e mas o'r tîm am ryw bum mis. Da'th e 'nôl yn erbyn Wasps ac fe gollon ni'r gêm o 22 i 21, gyda Charlie'n sgori ein pwyntie ni i gyd. Eto, yn y wasg yn dilyn y gêm, fe gafodd ei feirniadu gan Mike Brewer. Oni bai i'r perchnogion gamu i mewn, a dod â swydd yr hyfforddwr i ben ar ôl wyth mis, dwi'n siŵr y bydde'r chwaraewyr wedi gwrthod dal ati i chware. Fe gymerodd Pete Anglesea drosodd dros dro, ac ynte'n eitha dibrofiad ar y pryd a sydd nawr yn gofalu am ieuenctid yr Academi yn Sale.

Ar ôl tymor mor siomedig y flwyddyn cynt, pan ddethon ni'n olaf ond un ym Mhrif Gynghrair Lloegr, y nod odd gorffen y tymor hwnnw yn y chwech ucha er mwyn sicrhau lle yng nghystadleuaeth Cwpan Heineken y tymor wedyn. Er mawr siom, ro'n ni lawr yn y 10fed safle erbyn mis Mai. Dwi ddim yn meddwl bod arwyddocâd pwysigrwydd Cwpan Heineken wedi taro Sale ar y pryd, ddim yn debyg i'r pwysigrwydd a roddai Llanelli iddo. Pan fydde hi'n adeg y gystadleuaeth honno ar y Strade rodd awch arbennig i chware'r tîm a safon y rygbi, fel arfer, yn codi'n sylweddol. Erbyn heddi, dwi'n meddwl bod apêl y gystadleueth honno'n dal i dyfu ac yn y man bydd hi'n ca'l ei chyfri yr un mor bwysig â gême rhyngwladol yn y calendr rygbi.

Yn dilyn cyfnod o dangyflawni, cafodd y Clwb ei weddnewid ar gyfer 2011–12. Da'th Steve Diamond, a fu flynydde cyn 'nny yn fachwr gyda Sale ac yna'n hyfforddwr gyda Saracens, Northampton a Rwsia, 'nôl yn Gadeirydd ar y Clwb. Yn ei eirie fe, rodd y lle yn *"absolute shambles"* pan gymerodd e drosodd ond erbyn hyn mae 'na dipyn o wahaniaeth. Ma Steve yn berson caled, cadarn sy bellach yn rhedeg y Clwb â dwrn o ddur ond mae e hefyd yn deg. Yn sicr, mae e wedi safio clwb Sale rhag mynd i'r gwaelodion.

Y peth cynta na'th e odd ca'l gwared ar tua 25 o'r chwaraewyr odd ar y llyfre. Rodd rhai ohonyn nhw, yn ei farn e, yn ca'l eu talu ddwywaith yn fwy na'r hyn ro'n nhw'n haeddu. Galle gyfiawnhau 'nny trwy ddweud taw dim ond rhyw saith o'r rhai a gawsai eu diswyddo ganddo gafodd eu harwyddo gan glybie yn y Prif Gynghrair. Rodd Charlie Hodgson wedi penderfynu symud i Saracens yn dilyn helynt Mike Brewer, ac rodd Eifion Lloyd Roberts, y prop o Ruthun, wedi dewis mynd i Toulon – y ddau wedi ca'l digon ar y diflastod a fodolai yn y Clwb ar y pryd. Fe weles i isie Eifion, achos fe odd yr unig fachan yn y Clwb ro'n i'n gallu siarad Cymraeg ag e, yn enwedig os odd y ddau ohonon ni isie trafod rhywun heb i neb arall allu deall beth ro'n ni'n ei weud!

I ychwanegu at y 15 ohonon ni odd ar ôl gyda Sale, arwyddodd Steve ryw 20 o chwaraewyr newydd, gan ddod â sawl un o Rwsia, nes yn y diwedd rodd aelode'r garfan yn dod o ryw 12 gwlad i gyd. Ond fuodd 'nny ddim yn broblem o gwbwl, achos rodd e'n gredwr cryf mewn cyfathrebu â'r chwaraewyr a thrio ateb eu gofynion personol nhw. Yn ei farn e rodd angen *chaperone* ar Andy Powell, a dda'th aton ni o'r Wasps ar ôl ambell antur yn Llundain! Wrth gwrs, rodd e'n dweud 'nny â'i dafod yn ei foch ac ma Andy wedi bod yn gaffaeliad i'r Clwb ar y cae ac oddi arno. Mae e'n berson ma pawb yn ei lico ac ma'r ffraethineb sydd 'da fe yn rhywbeth sydd ei angen ar bob carfan.

Ar gyfer y tymor odd i ddod, rodd awch newydd ymhlith y chwaraewyr ac un peth a gyfrannodd falle at y teimlad 'ffres' yna yn ystod y misoedd cynta odd y ffaith bod 22 o chwaraewyr wedi chware i dîm cynta Sale yn y cyfnod hwnnw am y tro cynta eriod. Rhan o'r 'chwyldro' a gyflwynodd Steve odd gweddnewid y ganolfan ymarfer yn Carrington odd wedi dirywio tipyn yn ystod y blynydde cynt. Do's dim gwirionedd yn y si bod y chef sydd yn y lle bwyta yno wedi ennill seren Michelin! Yn ogystal â chwaraewyr newydd fe dda'th â sawl hyfforddwr i mewn, o dan gyfarwyddyd Prif Hyfforddwr newydd, Tony Hanks. Rodd e hefyd yn frodor o Seland Newydd ac wedi symud aton ni o glwb Wasps, lle enillodd brofiad o dan Warren Gatland. Er ei fod e'n ddyn dymunol, dodd ei ddullie hyfforddi ddim wedi symud gyda'r oes fel petai. Do's dim dwywaith eu bod nhw wedi dod â llwyddiant iddo yn y gorffennol ond erbyn iddo ddod aton ni rodd y gêm wedi symud mlan.

Rodd ei steil o chware yn eitha rhwydd i'w ddarllen, gyda thuedd i ddilyn yr un patrwm dro ar ôl tro. Dodd dim rhyddid i ni chware'r gêm yn ôl yr hyn rodd o'n blaene ni ac er ein bod ni fel tîm yn llwyddo i sgori nifer fawr o bwyntie ro'n ni hefyd yn ildio llawer. Rodd y drefn amddiffyn rodd Tony am i ni ei dilyn, sef yr amddiffyn *blitz*, yn aneffeithiol tost yn ein hachos ni. Buon ni'r chwaraewyr hŷn yn trio ei ga'l e i newid i'r system drifft o amddiffyn, ond dodd e ddim isie gwbod. Er 'nny, ro'n ni'n dal o fewn cyrradd i'r pedwar safle ucha yn y Gynghrair ond yna fe gethon ni ddwy galchad yn erbyn Saracens ac Exeter. Gallen ni fod wedi ennill sawl gêm, fydde wedi'n sefydlu ni'n ddiogel yn y tri neu bedwar safle cynta yn y Gynghrair, oni bai am y polisi amddiffyn hwnnw. Do'n i ddim yn gallu deall pam nad odd hyfforddwr profiadol fel Tony yn gallu gweld gwendid mor amlwg.

Cyn diwedd y tymor, fe gafodd ei ddiswyddo, gyda Steve wedyn yn cymryd drosodd fel hyfforddwr am yr wythnose ola, gan gydweithio'n dda gyda ni'r chwaraewyr. Yn y diwedd, fe orffennon ni'n chweched odd yn golygu ein bod ni'n ca'l chware yng nghystadleuaeth Cwpan Heineken y tymor wedyn, am y tro cynta ers sawl blwyddyn. Ar gyfer y tymor presennol, da'th Bryan Redpath aton ni o Gaerloyw fel Prif Hyfforddwr. Fe fues i'n chware yn ei erbyn e cwpwl o weithie slawer dydd ac ynte'n fewnwr profiadol yn chware i'r Alban. Rodd e'n lico dilyn cynllun chware syml ac ma fe'n gredwr cryf yn y system drifft wrth amddiffyn. Felly, ro'n ni'r chwaraewyr yn fodlon ac yn edrych mlan at adeiladu ar y profiad gethon ni y llynedd. Gyda chwaraewyr newydd disglair fel Richie Gray a Danny Cipriani yn y tîm, ac Eifion 'nôl o Toulon, rodd gobeth y bydde'r tymor presennol yn un mwy llwyddiannus hyd yn oed. Ar ben 'nny, fe symudon ni o Edgeley Park i stadiwm newydd Dinas Salford i chware'n gême cartre, lleoliad y byddwn ni'n ei rannu gyda Chlwb Rygbi'r Gynghrair Salford City Reds. Ar wahân i'r ffaith ei fod e'n dala llawer mwy o bobol, ma'r adnodde yno yn ardderchog.

Ond, allen ni ddim fod wedi ca'l dechreuad gwa'th i dymor 2012–13. Ar ôl colli'r chwech gêm gynta ymunodd John Mitchell â'r tîm hyfforddi, brodor o Seland Newydd a fu un amser yn chware i Sale ac yna'n gyfarwyddwr rygbi gyda'r Clwb. O 2002 i 2004 fe odd hyfforddwr y Crysau Duon ac ers 'nny cafodd gyfnod dadleuol yn hyfforddi yn Ne Affrica. Da'th e'n adnabyddus fel un odd yn credu mewn defnyddio dullie caled, digyfaddawd wrth ei waith, felly fe ddyle'r wythnose nesa fod yn gyfnod diddorol iawn i ni'r chwaraewyr yn Sale! Ar ôl colli'n seithfed gêm gynghrair yn olynol, penderfynodd Steve Diamond y bydde fe, unwaith eto, yn mynd yn gyfrifol am yr hyfforddi o ddydd i ddydd, gan gadw Bryan Redpath yn aelod o'r tîm hyfforddi. Ro'n i'n teimlo'n eitha rhwystredig yng nghanol y cyfnod ansicr yma gan fod anaf wedi'n rhwystro i rhag chware am fis. Ond rodd hi'n braf iawn ca'l dod i'r cae unwaith eto yn erbyn y Gwyddelod yn Llundain a bod yn rhan o'n buddugoliaeth gynta ni eleni yn y Gynghrair. Galle pethe ddim ond gwella!

Un arall o benderfyniade Steve, pan dda'th yn Gadeirydd, odd cyflwyno cyfundrefn ddatblygu gadarn ar gyfer chwaraewyr ifanc y Clwb. Mae o'r farn fod yna bwll dwfwn o dalent yn yr ardal a bod angen ei ddatblygu. Mae e'n dadle bod tua hanner y chwaraewyr sy wedi gwisgo crys gwyn Lloegr wedi dod o ogledd Lloegr a'i bod hi'n ddyletswydd arnon ni i ddatblygu donie rygbi ifanc y rhanbarth, gan taw Sale bellach yw'r unig glwb dosbarth cynta ar ôl yng ngogledd Lloegr. Ma cyn-gyfarwyddwr academi'r Wigan Warriors, Ray Unsworth, wedi'i benodi i neud y gwaith hwnnw gyda Sale, ar y cyd â Pete Anglesea.

Dwi'n edrych mlan at weld ffrwyth eu hymdrechion nhw, achos dwi wedi arwyddo i Sale am ddwy flynedd arall. Bues i'n petruso ychydig bach ac ma'n rhaid i fi gyfadde, tase'r Scarlets wedi neud cynnig i fi, fe fyddwn i wedi'i cha'l hi'n anodd aros yn Sale. Felly, ro'n i damed bach yn siomedig na ches i gyfle i fynd 'nôl i Gymru. Fe ddangosodd un neu ddau o glybie erill o Loegr rywfaint o ddiddordeb yn'o i ond wnes i ddim rhoi lot o sylw i'r cynigion 'nny. Dodd dim pwynt symud i glwb y tu fas i Gymru lle na fydden i falle'n hapus, a finne'n fodlon 'y myd yn Sale.

17

Sosban yn berwi

YN 'Y MARN i, bydd Sale yn un o dime gore'r Prif Gynghrair yn ystod y blynydde nesa a dwi'n edrych mlan at chware rhan yn eu llwyddiant nhw. Ac wedyn... pwy a ŵyr? Fe fyddwn i'n lico ca'l profiad o hyfforddi gyda'r academi newydd yn Sale yn ystod y ddwy flynedd nesa ac o bosib paratoi'r ffordd ar gyfer gyrfa yn y maes hwnnw ar ôl bennu chware. Dwi'n teimlo bod 'da fi ddigon o brofiad y tu cefen i fi y galle chwaraewyr y dyfodol elwa ohono. Ar y llaw arall, dwi ddim yn siŵr a fyddwn i'n barod i roi'r tŵls ar y bar fel chwaraewr mewn dwy flynedd. Ma'n bosib y gallwn i ga'l 'y nhemtio bryd 'nny i fynd i Ffrainc i chware, petai cynnig yn dod. Dwi'n meddwl y byddwn i'n mwynhau hynny'n fawr a bydde'r profiad yn un gwerthfawr mewn sawl ffordd.

Ma'n bosib wrth gwrs y bydda i wedi mentro mwy i fyd busnes. Ers ychydig o flynydde dwi wedi bod yn rhan o ddatblygiad cyffrous yn Noc y Gogledd ym mhorthladd Llanelli ac wedi mwynhau'r profiad yn fawr. Ma'r holl fenter erbyn hyn wedi gweld gole dydd ac ma tŷ bwyta Sosban ar ei draed ac yn ffynnu. Beth amser yn ôl fe gyhoeddwyd bod £250 miliwn yn mynd i ga'l ei hala ar ddatblygu Glannau Llanelli odd yn golygu adfer ardal odd gynt yn rhan bwysig iawn o hanes diwydiannol a morwrol y dre. Fe wahoddwyd ceisiade gan gwmnïe i gynnig cynllunie a fydde'n rhan o'r gwaith hwnnw.

Rodd Stephen Jones a fi wedi bod yn sôn ers tro nad

odd dewis da o lefydd bwyta yn ardal Llanelli ac y bydde hi'n eitha neis, gan fod y ddau ohonon ni'n lico'n bwyd yn fawr, tasen ni'n gallu neud rhywbeth i lenwi'r bwlch. Ro'n ni'n dau yn digwydd dreifo heibio Doc y Gogledd rhyw ddiwrnod pan sylwon ni ar yr hen Dŷ Pwmp yno. Hwn odd yr unig adeilad odd yn aros o'r cyfnod pan odd Llanelli'n borthladd pwysig dros gan mlynedd yn ôl. Ma fe, ma'n debyg, yn dyddio o 1900 ac rodd e'n arfer gweitho'r gatie yn y doc. Ar wahân i gyfnod byr pan gafodd ei ddefnyddio fel gweithdy, rodd e wedi bod yn segur ers 1951.

Dyma Stephen a fi'n meddwl y galle fe ga'l ei droi yn dŷ bwyta deniadol iawn felly dyma ni'n mynd â'r syniad at Robert Williams, dyn busnes lleol a Chadeirydd ar gwmni adeiladu WRW, un o brif noddwyr y Scarlets. Digwydd bod, rodd e ei hunan wedi bod yn meddwl ar hyd yr un llinelle ac fe benderfynon ni fynd â'r syniad ymhellach drwy wahodd Simon Wright aton ni – perchennog tŷ bwyta enwog Y Polyn yn Nantgaredig. Ma Simon yn uchel iawn ei barch ym myd y tai bwyta ac mae'n dal yn gysylltiedig â Sosban. Rodd e wedi bod yn gyn-olygydd yr *AA Restaurant Guide* ac yn ymgynghorydd ar gyfer rhaglen Gordon Ramsay *Ramsay's Kitchen Nightmares*. Fe benderfynon ni ffurfio cwmni o'r enw Bendigo 9/10, gyda hanner cynta yr enw'n dod o'r gair 'bendigedig', a'r ail hanner o gysylltiad amlwg Stephen a fi â'r byd rygbi.

Ro'n ni wrth ein bodde pan ddewisodd corff rheoli datblygiad y Glannau ein cynllun ni fel yr un gore ar gyfer y Tŷ Pwmp. Rodd y lle yn Adeilad Cofrestredig Gradd II ac fe gyfrannodd cyrff cyhoeddus fel Y Cynulliad a Cadw yn sylweddol at gost y prosiect ac, wrth gwrs, rodd Stephen a fi ymhlith y buddsoddwyr. Ond dodd cyfrannu'n ariannol ddim yn ddigon i'n neud ni'n *restauranteurs*. Do'n ni ddim yn gwbod llawer am y byd hwnnw a dodd dim lot o siâp arna i yn y gegin. Er i fi fod wrthi ers tro yn ymwneud â

Sosban, Jess sy'n gofalu am y coginio yn ein tŷ ni. Felly fe benderfynodd Simon reit ar y dechre bod gofyn i fi a Stephen ga'l tipyn o addysg yn y maes 'bwyta mas'.

Ym mis Mai 2007 fe a'th e â ni'n dau a Robert lan i Lundain inni ga'l gweld shwd odd rhai o'r tai bwyta gore'n mynd ati i redeg busnes. Rodd y cyfan yn brofiad pleserus iawn ac rodd hi'n agoriad llygad gweld shwd odd darparu ar gyfer cwsmeriaid ar y lefel ucha un, a shwd odd cynnig bwydydd o safon. Fe ddysgon ni dipyn a 'sen i'n lico meddwl ein bod ni yn Sosban erbyn hyn yn gallu cymharu'n deg â rhai o'r tai bwyta y buon ni'n ymweld â nhw yn Llundain.

Un o'r llefydd odd Galvins, lle rodd merch o'r enw Sian Rees yn brif gogydd, er nad odd hi'n digwydd gweitho ar y nosweth ethon ni yno. Rodd hi hefyd wedi bod yn coginio yn Claridge's ac yn L'Escargot, dau fwyty enwog dros ben. Cafodd Sian, sy'n dod o Gydweli, ei hyfforddiant cynnar yng Ngholeg Sir Gâr a rhan o'n bwriad ni o'r cychwyn odd cynnig dim ond y gore i'n cwsmeriaid ni yn Sosban. Felly, hi gafodd y gwaith o roi Sosban ar y tân, wrth iddi ga'l ei phenodi'n brif gogydd pan agoron ni y llynedd. Ar yr un pryd, da'th Ian Wood, odd yn brif gogydd yn The Boundary, restaurant Terence Conran yn Shoreditch ac yn un arall o dai bwyta nodedig Llundain, yn rheolwr ar Sosban.

Ma'n rhaid i fi gyfadde 'mod i'n bles iawn â'r ffordd ma pethe wedi gweitho mas a dwi'n mwynhau bod yn rhan o'r fenter. Ma'r awyrgylch chwaethus yn Sosban yn braf iawn – diolch i waith adfer a datblygu ardderchog gan gwmni WRW. Ma'r niferoedd sy'n bwyta yno'n dangos ei fod e'n lle poblogaidd, ac ma'r derbyniad mae wedi'i ga'l gan gwsmeriaid ac arbenigwyr, fel y *Good Food Guide*, yn galonogol dros ben.

Yn goron ar y cyfan odd bod Sosban, ychydig wythnose yn ôl, wedi'i ddewis yn Fwyty Gorau Cymru yn yr AA Hospitality Awards 2012 ac a'th Stephen a fi, a rhai o'r lleill sy'n rhan o'r fenter, lan i'r Hilton Park Lane yn Llundain i dderbyn ein gwobr mewn seremoni fawr. Do'n ni ddim yn gallu credu'n bod ni'n ca'l ein anrhydeddu ochor yn ochor â phobol mor enwog o'r byd bwyd â Raymond Blanc, Antonio Carluccio a Heston Blumenthal. Rodd e wir yn brofiad ffantastig ac rodd y ffaith fod Sosban wedi cyrradd shwd safon, yn enwedig mewn cyn lleied o amser, yn rhyfeddol.

Yn naturiol, a finne'n byw yn ardal Manceinion, a Stephen yn ymgartrefu yn Llundain am flwyddyn neu ddwy, gallwn ni'n dau ddim ymwneud yn uniongyrchol â Sosban o ddydd i ddydd. Ond ry'n ni'n lwcus dros ben bod 'da ni gogyddion a rheolwr y gallwn ni ymddiried yn llwyr ynddyn nhw. Ry'n ni'n dau ar ben arall y ffôn yn gyson a phe bydde rhyw argyfwng yn codi, galle'r naill neu'r llall ohonon ni fod i lawr yno mewn ychydig orie. Yn ôl y patrwm arferol ar hyn o bryd, ry'n ni'n neud ymdrech i fod yno rhyw unwaith bob pythefnos i ga'l trafodaethe â'r staff.

Dwi wedi dysgu tipyn am fyd bwyd ers i Sosban fod ar waith a phan fydda i'n mynd mas am bryd y dyddie hyn bydda i'n sylwi'n fanwl ar beth sy'n digwydd o 'nghwmpas i. Nid yn gymaint ar beth ma'r llefydd bwyta'n neud ond yn hytrach ar yr hyn *nad* y'n nhw'n neud – shwd ma'r cwsmeriaid yn ca'l eu croesawu, faint o staff sy'n gweitho 'na a safon y gwasanaeth. Dwi hefyd wedi dysgu rhywfaint am win trwy gyfrwng ambell nosweth blasu gwin sy'n rhan o'r hyn ma'r Sosban yn ei gynnig. Do'n i'n bersonol yn gwbod fawr ddim am win, er bod Stephen yn honni ei fod yn deall tipyn ar ôl ei ddwy flynedd yn Ffrainc!

Ry'n ni o hyd yn chwilio am syniade newydd ac un o'r mentre sy'n dal yn fwriad 'da ni yw datblygu Academi Cogyddion yn Sosban. Y nod yw meithrin, ar y cyd â Choleg Sir Gâr, dalentau'r cogyddion mwya addawol yn Adran Arlwyo'r coleg. Bydden nhw gynta yn cwblhau cyfnod o hyfforddiant ac yna'n ca'l gweitho am ryw chwe mis yng nghegin Sosban, dan oruchwyliaeth ein cogyddion ni yno, ac ennill falle gymwysterau fel NVQ ar yr un pryd. Rodd y cynllun hwnnw yn rhan o'r cynnig gwreiddiol gafodd ei gyflwyno 'da Bendigo 9/10 i gorff rheoli Datblygiad y Glannau. Fe gafodd dderbyniad brwd ond, a ninne'n canolbwyntio'n gynta ar neud yn siŵr bod Sosban yn ca'l ei draed dano fel tŷ bwyta, dda'th dim cyfle hyd yn hyn i osod sylfeini'r cynllun hyfforddi ar waith. Ond fe ddaw.

Ma'r holl fenter o'm rhan i wedi bod yn brofiad gwerthfawr dros ben. Dwi wedi mwynhau dysgu am arlwyo a shwd i redeg busnes. Ac o dan ddylanwad Robert Williams yn enwedig, rodd dod i wybod am faterion yn ymwneud â chynifer o byncie fel sicrhau caniatâd cynllunio, neud ceisiade am grant, ateb gofynion amgylcheddol a rheole cyflogaeth yn ddiddorol dros ben. Fydde ddim ots 'da fi, ar ôl bennu chware, chwilio am ffyrdd erill o fentro ym myd busnes, lle bynnag y bydda i. Ond y nod i fi, ac i ni fel teulu, yn y pen draw yw symud 'nôl i Gymru. Yn un peth, ma Jess a fi'n benderfynol bod Elis yn mynd i ga'l addysg Gymraeg ac ma llawer o fanteision o fod yn byw yn agos at Mam-gu a Tad-cu! Ond pan fydda i'n rhoi'r gore iddi fel chwaraewr fydd dim lle 'da fi i ddifaru dim. Hyd yn hyn, ma hi wedi bod yn yrfa wych a dwi wedi ca'l pleser di-ben-draw.

Y goreuon

Pan fydda i'n troi mewn cylchoedd rygbi, fe fydd pobol yn amal yn gofyn i fi i nodi gwahanol agwedde ar y gêm sydd wedi neud argraff arbennig arna i. Ma'r rheini'n rhannu i dri chategori, sef pwy yw'r chwaraewyr gore ymhob un o'r 15 safle dwi wedi dod ar eu traws; pa gême o'r rhai y bues i'n chware ynddyn nhw yw'r rhai mwya cofiadwy; a pha gaeau rygbi sydd wedi neud yr argraff fwya arna i. Felly, dyma roi cynnig ar ateb.

Y CHWARAEWYR GORE

Bydde llawer o Gymry'n haeddu ca'l eu cynnwys yn rhestr y 15 gore, gan eu bod nhw'n ca'l eu hystyried gan lawer o wybodusion i fod ymhlith goreuon y byd ond, rhag digio nifer o ffrindie, dwi ddim wedi ystyried yr un chwaraewr o Gymru yn y dewis canlynol.

Cefnwr: Christian Cullen

Cafodd ei ddewis gynta i'r Crysau Duon pan odd e ond yn 20 oed, gan sgori saith cais yn ei ddwy gêm gynta yn erbyn Samoa a'r Alban. A'th e mlan i chware 58 o weithe i'w wlad a sgori 46 o geisie, odd yn record nes i Doug Howlett ei thorri yn ddiweddarach. Ar un adeg, fe hefyd odd wedi sgori'r nifer fwya o geisie eriod yn y Super 12 ac ym Mhencampwriaeth y Tair Gwlad. Chwaraeodd ei gêm ddwetha i'r Crysau Duon yn 2003 ac yna ymunodd â chlwb Munster lle y buodd yn chware tan 2007.

Mae ei record ar y llwyfan rhyngwladol yn dweud popeth amdano ond dim ond tra odd e'n chware i Munster y ces i'i wynebu fe. Rodd y profiad, er bod Cullen yn tynnu at ddiwedd ei yrfa, yn ddigon i neud fi sylweddoli ei fod e'n chwaraewr arbennig iawn. Rodd ganddo'r sgilie i gyd – yn rhedwr trydanol a thwyllodrus odd yn goleuo cae rygbi â'i ddonie, yn gallu trafod pêl yn gelfydd ac yn berchen ar yr holl dalente amddiffyn angenrheidiol.

Asgell Dde: Doug Howlett

Brodor o Tonga yw Doug, er iddo ga'l ei fagu yn Seland Newydd. Cyn iddo ddechre chware i Munster yn 2008, ro'n i wedi'i wynebu fe bedair gwaith yn nhîm Cymru yn erbyn y Crysau Duon, ac fe sgorodd bum cais yn y gême 'nny. Rhwng 2000 a 2007 chwaraeodd e 62 o weithe dros ei wlad gan sgori 49 o geisie, sy'n record.

Mae'n un o'r asgellwyr mwya clinigol a weles i eriod, na fydd byth yn neud camgymeriad. Mae e'n gyflym dros ben ar y cae, yn athletaidd ac yn daclwr digyfaddawd. Fe yw capten tîm Munster tymor 2012–13.

Canolwr: Brian O'Driscoll

Heb os, Brian yw'r chwaraewr gore ma Hemisffer y Gogledd wedi'i weld yn y 30 mlynedd dwetha. Fe chwaraeodd i Iwerddon gynta pan odd e'n 20 oed ac ma'n dal i chwarae iddyn nhw, ac wedi ennill 120 o gapie erbyn hyn. Cafodd ei ddewis yn chwaraewr gore Pencampwriaeth y Chwe Gwlad dair gwaith, ma fe wedi bod ar dair taith gyda'r Llewod, un ohonyn nhw fel capten, a synnwn i damed na fydd e yn y ffrâm ar gyfer taith arall y flwyddyn nesa. Y syndod mwya i fi yw na chafodd ei ddewis yn Chwaraewr Gorau'r Flwyddyn gan yr IRB, er iddo ga'l ei enwebu dair gwaith.

Yn ogystal â bod yn rhedwr treiddgar a chelfydd dros ben, ma'n anodd ei dynnu fe i lawr pan fydd ar garlam. Ma fe'n rhyfeddol o galed am ei seis, ac ma'r cadernid hwnnw'n amlwg pan fydd e'n hyrddio'i hunan yn gwbwl ddigyfaddawd i mewn i dacl.

Canolwr: Tana Umaga

Ma Jonathan Ionatana Falefasa Umaga o dras Samoaidd ac rodd e'n 21 oed cyn dechre chwarae Rygbi'r Undeb. Enillodd 74 o gapie i Seland Newydd, gan sgori 36 o geisie, ac mewn dwy o'r gême 'nny fe fues i'n chware yn ei erbyn e i Gymru, yn ogystal â'i wynebu fe wrth chware i'r Llewod ar daith 2005. Fe na'th e enw iddo'i hunan am y rhesyme anghywir ar y daith honno, wrth gwrs, pan fu e a Mealamu'n gyfrifol am ddod â thaith Brian O'Driscoll i ben trwy ei lorio â thacl waywffon. I'r gwrthwyneb, ga'th e'i wobrwyo yn 2003 am stopio ar ganol un o ymosodiade'r Crysau Duon mewn gêm yn erbyn Cymru i sicrhau bod Colin Charvis yn anadlu'n iawn wedi iddo ga'l ei daro'n anymwybodol mewn tacl.

Ma Umaga'n gwlffyn o fachan, yn pwyso dros 16 stôn ac yn 6' 2' o daldra ac, fel cyn-asgellwr yn ei ddyddie cynnar i'r Crysau Duon, rodd e'n gyflym iawn. Mewn ffordd, rodd e'n brototeip o ganolwyr y gêm fodern. Os odd e'n eich bwrw chi, ro'ch chi'n gwbod 'nny, a bydde fe ar garlam pan fydde'r bêl yn ei ddwylo. Galle fe neud lot o ddamej yn erbyn unrhyw dîm.

Asgell Chwith: Bryan Habana

Fe chwaraees i gwpwl o weithe i Gymru yn erbyn yr asgellwr hwn o Dde Affrica ac rodd e fel mellten pan fydde'r bêl yn ei ddwylo. Gallai redeg 100m mewn 10.4 eiliad ac, yn 2006, er mwyn tynnu sylw at y ffaith bod parhad yr anifail dan fygythiad yn Ne Affrica, fe drefnwyd ras rhwng Habana a cheetah. Yr anifail enillodd wrth gwrs ond fe roiodd yr asgellwr berfformiad digon parchus!

Yng Nghwpan y Byd 2007, fe sgorodd e wyth cais gan rannu'r record, gyda Jonah Lomu, am y nifer fwya o geisie a sgoriwyd eriod yn y gystadleuaeth honno. Cyflawnodd Jonah yr un gamp yng Nghwpan y Byd 1999. Yn 2007 cafodd Habana ei ddewis yn Chwaraewr Gorau'r Flwyddyn gan yr IRB. Mae wedi ennill 81 o gapie ac wedi sgori 42 o geisie dros ei wlad. Pan fydd e'n synhwyro bod y llinell gais o fewn cyrradd ma fe'n mynd amdani fel milgi. Ma'n amlwg bod y ddawn 'na yn dal 'da fe a barnu wrth y nifer o geisie a sgorodd e ychydig wythnose 'nôl yng Nghyfres y Pedair Gwlad.

Maswr: Dan Carter

Pan chwaraees i gynta yn erbyn Dan Carter rodd e yn safle'r canolwr mewnol. Honno hefyd odd ei gêm gynta i'r Crysau Duon ac fe sgorodd e 20 pwynt y diwrnod hwnnw. Ers 'nny, ma fe wedi chware dros 90 o weithe i'w wlad ac yn ca'l ei gydnabod gan y gwybodusion fel y maswr gore yn y byd. Fe wynebes i fe rhyw saith o weithe i gyd, gan gynnwys yr Ail Brawf rhwng y Llewod a'r Crysau Duon, pan sgorodd e 33 pwynt – dau gais, pum gôl gosb a phum trosiad. Do's dim rhyfedd iddo ga'l ei ddewis yn Chwaraewr Gorau'r Flwyddyn gan yr IRB y flwyddyn honno. Fe hefyd sy'n dal y record am sgori'r cyfanswm ucha o bwyntie mewn gême rhyngwladol, sef 1360 ar hyn o bryd.

Ma fe'n un o'r rhedwyr mwya twyllodrus a weles i eriod ac ma 'da fe ddawn greadigol heb ei hail. Ma fe'n gallu gweld bwlch, a mynd amdano yn rhyfeddol o glou, gan symud llawer yn gyflymach na ma'r amddiffynwyr o'i amgylch yn ei feddwl. Ma'i gicio fe hefyd yn wych.

Mewnwr: Dimitri Yachvili

Ma'n siŵr taw hwn yw'r dewis anodda yn yr holl dîm. Ma sawl ymgeisydd am y safle 'ma ac ambell un na alla i eu hystyried am na ches i fawr o gyfle i brofi eu donie ar y cae. Dim ond unwaith y chwaraees i yn erbyn George Gregan, odd yn tynnu at ddiwedd ei yrfa ac ynte wedi chware 136 o weithe dros Awstralia, sy'n gamp aruthrol.

Bydde Matt Dawson o Loegr, a Byron Kelleher o Seland Newydd ar y rhestr fer achos fe ges i sawl gornest anodd yn eu herbyn nhw! Ond ma'r dewis terfynol rhwng Mark Robinson o Seland Newydd a'r Ffrancwr, Dimitri Yachvili.

Dim ond tri chap gafodd Mark Robinson i'w wlad ond buodd e ar gyrion tîm y Crysau Duon am flynydde. Des i ar ei draws e pan fuodd e'n chware i Northampton o 2004 i 2008, ac yna fe gafodd e ddwy flynedd gyda'r Wasps cyn i anaf i'w ben-glin ei orfodi i roi'r gore i'r gêm. Fel mewnwr, rodd e'n adnabyddus am ei bàs gyflym a chywir a'r gallu i dorri'n effeithiol drwy amddiffyn y tîm arall. Rodd e hefyd yn greadur gwydn fydde'n neud bywyd yn anodd o amgylch y sgrym i'r mewnwr odd yn ei erbyn e. Am gyfnod, cyn dod i Loegr, fe fu'n chware Rygbi'r Gynghrair yn Seland Newydd ac ar gyfer un gêm rodd e'n chware yn safle'r bachwr – arwydd o ba mor galed odd e.

Ond Yachvili sy'n mynd â hi. Mae e wedi cynrychioli ei wlad dros 60 o weithe ac er taw fel bachwr y chwaraeodd ei dad 19 o weithe i dîm Ffrainc, rodd ei dad-cu'n dod o Georgia. Mae brawd Dimitri, Grégoire, wedi dewis chware dros y wlad honno. Dros y 12 mlynedd dwetha dyw e ddim bob amser wedi bod yn ddewis cynta i dîm Ffrainc, gan y buodd dau fewnwr disglair arall yn cystadlu'n gryf ag e am safle'r mewnwr, sef Jean-Baptiste Élissalde a Morgan Parra.

Chwaraees i yn ei erbyn e sawl gwaith mewn gême

rhyngwladol a phan fydde fe'n cynrychioli Biarritz. Mae'n fewnwr cyflawn ac ma 'da fe'r holl ddonie – yn giciwr arbennig o effeithiol o'r dwylo ac o'r ddaear. Ma fe bron yn chwe troedfedd o daldra ac yn fachan cryf iawn ac un o'i brif gymwystere yw ei allu i reoli gêm yn effeithiol.

Wythwr: Lawrence Dallaglio

Chwaraeodd e ym mhob safle yn rheng ôl Lloegr ond fel rhif 8 y byddwn i'n ei ddewis e yn 'y nhîm i. Fe gafodd e 85 cap i'w wlad dros gyfnod o 12 mlynedd ond fe alle fod wedi chware i'r Eidal neu Iwerddon, ond fe wrthododd y cyfle i wisgo'r crys gwyrdd cyn ennill ei gap cynta dros Loegr. Ro'n i ar yr un daith ag e i Seland Newydd gyda'r Llewod yn 2005 ond fe dorrodd ei bigwrn yn y gêm gynta yn erbyn Bay of Plenty a dyna odd diwedd y daith iddo.

Ei ddawn fwya, yn 'y marn i, odd y ffordd rodd e'n cario'r bêl i ennill tir. Rodd ganddo fe sgilie ardderchog wrth fôn y sgrym ac rodd e'n gallu rhoi'r sgilie 'nny ar waith yn rymus wrth lywio'r sgrym i ddrysu chware pac y tîm arall. Dodd e ddim y chwaraewr mwya tawel ar y cae ond rodd e'n arweinydd penigamp ac yn ysbrydolieth i'w gyd-chwaraewyr. Erbyn hyn ma fe'n adnabyddus am ei ymdrechion diflino ar ran elusenne cancr.

Blaenasgellwr: Richard Hill

Yr enw a roddwyd iddo gan ei gyd-chwaraewyr yn Lloegr odd y 'Silent Assassin' ac am flynydde rodd e'n rhan o drindod arbennig o effeithiol yn rheng ôl Lloegr, gyda Dallaglio a Back. Enillodd e 71 o gapie dros ei wlad ac a'th e ar daith y Llewod gyda fi yn 2005. Gorfod mynd gartre'n gynnar ar ôl ca'l anaf yn y Prawf Cynta fuodd ei hanes e hefyd.

Rodd e'n aelod eithriadol o weithgar o'r pac a bydde'n neud gwaith caib a rhaw y rheng ôl yn drylwyr dros ben. Bydde fe'n rhagori ar y twrio garw, y gyrru craff a'r cynnig cynorthwy diflino odd yn gyment rhan o ddyletswydde blaenasgellwr gwerth ei halen. Rodd e hefyd yn feistr ar lorio'i wrthwynebwyr â thaclo ysgytwol.

Blaenasgellwr: Richie McCaw

Heb os, dyma'r chwaraewr gore a wynebes i eriod. Ma tipyn o ganmol ar David Pocock, blaenasgellwr Awstralia, ond dyw e ddim cystal â McCaw. Fe chwaraees i yn ei erbyn e dair gwaith gyda Chymru a hefyd gyda'r Llewod yn y gême prawf yn Seland Newydd. Mae e wedi cynrychioli'r Crysau Duon mewn gême prawf fwy o weithe, 110, nag unrhyw chwaraewr arall yn y wlad ac wedi bod yn gapten arnyn nhw yn amlach na neb arall hefyd. Ro'n i'n chware yn ei erbyn e y tro cynta na'th e arwain y Crysau Duon ac ynte ond yn 23 oed. Yn brawf o'i statws yn y byd rygbi yw'r ffaith ei fod wedi ca'l ei ddewis yn Chwaraewr Gorau'r Flwyddyn dair gwaith gan yr IRB, yr unig berson i ennill shwd glod.

Ei gamp fawr yw ei allu i rag-weld lle bydd y bêl a bydd yn cyrradd yno'n glou i sicrhau meddiant i'w dîm trwy ddefnyddio'i nerth a'i ddwylo cyflym yn effeithiol dros ben. Ma fe'n wych am roi pwyse ar y tîm arall yn y dacl a'u gorfodi nhw i ildio'r meddiant, er bod llawer yn dweud ei fod e'n amal yn torri'r rheole wrth neud 'nny. Ond gan fod dyfarnwyr yn amrywio cyment yn y ffordd ma nhw'n dehongli'r rheole, ma McCaw yn cyfadde'i fod e'n rhoi'r dyfarnwr ar brawf yn gynnar mewn gêm. Fe fydd e'n trio gweld faint o raff bydd y dyfarnwr yn fodlon ei roi iddo cyn ei gosbi, ac yna bydd yn barod i fynd at ei waith am weddill yr ornest.

Ail reng: Victor Matfield

Clo gwych a enillodd 110 o gapie i Dde Affrica a roiodd y gore iddi yn 2011. Fe gafodd ei ddewis yn chwaraewr gore Cwpan y Byd yn 2007 ac fe chwaraees i yn ei erbyn e gyda

Chymru bedair gwaith. Ma'n rhaid ca'l neidiwr da sy'n sicrhau meddiant yn y llinelle mewn unrhyw dîm a dodd neb gwell am neud 'nny na Matfield. Ond rodd e'n feistr hefyd ar ddrysu meddiant y tîm arall ac rodd e'n ddraenen barhaus yn ystlys y pac fydde'n ei erbyn. Rodd ganddo ddonie erill hefyd – nerth aruthrol yn rhan ucha'i gorff a chyflymder anghyffredin o gwmpas y cae, o ddyn mor fawr. Fe na'th Eddie Jones, cyn-hyfforddwr Awstralia, awgrymu y dyle Matfield feddwl am yrfa fel gwibiwr.

Ail reng: Paul O'Connell

Bydde llawer yn honni na ddyle O'Connell ga'l ei le fel un o'r chwaraewyr ail reng mwya disglair yn y gêm fodern. Byddwn i hefyd yn barod i dderbyn bod sawl clo arall yn y byd sydd â donie gwell ar gyfer y safle arbennig hwnnw. Ond yr hyn sydd gan y Gwyddel hwn, ar wahân i'r sgilie sylfaenol angenrheidiol, yw'r ddawn i ysbrydoli pawb o'i gwmpas, rhyw bresenoldeb bygythiol, a rhyw ffyrnigrwydd effeithiol sy'n sicrhau bod pawb o'i amgylch yn tynnu'u pwyse.

Prop pen rhydd: Andrew Sheridan

Cawr o ddyn, 6' 4' o daldra ac yn pwyso 19 stôn, sydd yn ddiweddar wedi bod yn cadw Gethin Jenkins mas o dîm Toulon yn Ffrainc a hynny, ma'n debyg, am fod ei gadernid yn y sgrym yn gweddu i Brif Gynghrair Ffrainc. Dechreuodd ei yrfa gyda chlwb Bryste fel ail reng ond rodd e'n rhy drwm i ga'l ei godi yn y llinelle felly symudwyd e i'r rheng flaen. Enillodd 40 cap dros Loegr. Mae ganddo nerth aruthrol ac mae'n godwr pwyse o fri. Ro'n i'n falch iawn 'mod i yn yr un tîm ag e ac nid yn ei erbyn e, tan iddo adael Sale ddiwedd tymor 2011–12.

Prop pen tyn: Carl Hayman

Des i ar ei draws e gynta pan o'n i'n chware i dîm Cymru dan 19 yn rownd derfynol Pencampwriaeth y Byd, ac ynte'n cynrychioli'r Crysau Duon yn y gêm honno. Chwaraeodd 45 o weithe dros ei wlad a phan symudodd e o Seland Newydd i Newcastle yn 2007 cafodd gytundeb gwerth £6,500 yr wythnos. Rodd hynny'n rhoi iddo'r cyflog ucha yn y byd rygbi ar y pryd, sy'n dangos faint ma'r byd hwnnw yn prisio prop pen tyn da yn y gêm fodern. Mae e hefyd yn gwlffyn mawr, 6'4' o daldra ac yn pwyso 18 stôn, sy'n arbennig o gryf yn y sgrym. O ganlyniad, ma ganddo'r donie i sicrhau pêl lân o'r sgrym i'w dîm ei hunan ac i ddarfu tipyn ar sgrym ei wrthwynebwyr. Ar hyn o bryd, mae e a Sheridan yn yr un rheng flaen yn Toulon – do's dim rhyfedd eu bod nhw ar frig y tabl ym Mhrif Gynghrair Ffrainc.

Bachwr: Mario Ledesma

Fe fu rheng flaen yr Ariannin yn enwog ers blynydde am eu grym, eu cadernid a'u chware tyn. Mae Ledesma yn enghraifft wych o'r math yma o chware. Cynrychiolodd ei wlad 65 o weithe gan ddisgleirio mewn pedwar Cwpan y Byd, sy'n record ardderchog. Chwaraees i ryw dair gwaith yn ei erbyn ac rodd ei awch am waith o gwmpas y cae yn drawiadol iawn. Rodd e hefyd yn feistr ar daflu'r bêl i'r llinell yn gywir ac yn arweinydd ysbrydoledig ar ei bac, yn enwedig yn y chware gosod. Y tu hwnt i'r llwyfan rhyngwladol, treuliodd ei yrfa rygbi yn Ffrainc a bellach mae'n hyfforddi tîm Montpellier.

Y TAIR GÊM FWYA COFIADWY

1. Cwpan Heineken, Toulouse yn erbyn y Scarlets

Rhagfyr 16, 2006

Ma 'na awyrgylch arbennig yn Stade Ernest Wallon lle bydd Toulouse yn chware'u gême cartre. Ma hi fel rhyw gaer gadarn nad oes dim modd i ymwelwyr ei gorchfygu, gan fod y gefnogeth i'r tîm cartre mor danbaid. Ar y prynhawn arbennig hwnnw, a finne'n gapten ac yn arwain y Scarlets i'r cae, rodd y dorf hyd yn oed yn fwy taer nag arfer dros eu tîm achos ro'n ni wedi llwyddo i'w maeddu nhw o un pwynt yr wythnos flaenorol. Ond do'n ni eriod wedi ennill yn Toulouse.

Dechreuodd y tîm cartre ar dân ac o fewn dim ro'n ni'n colli o 21 i 3. Nid am ein bod ni'n chware'n wael, achos ro'n ni wedi creu sawl cyfle i sgori, ond am ein bod yn rhy esgeulus i droi'r cyfleon yn bwyntie. Ond sgorodd Dafydd James gais cyn yr hanner odd yn golygu ein bod ni'n mynd i'r egwyl â'r sgôr yn 21–10 i'r tîm cartre. A finne'n gapten, wrth annog y tîm yn ystod hanner amser fe bwysleisies pa mor bwysig odd sgori gynta ar ôl yr egwyl, neu falle taw crasfa fydde o'n blan ni, ond na ddylen ni newid ein ffordd o chware. Awgrymodd Phil Davies y dyle'n llinell amddiffyn ni ddod lan yn gynt er mwyn rhoi Toulouse dan bwyse wrth ymosod ac yn sicr fe weithodd 'nny yn yr ail hanner.

Yn anffodus, yn gynnar ar ôl yr egwyl, sgorodd y cefnwr, Poitrenaud, ei bedwerydd cais i neud y sgôr yn 31–10 ac rodd hi'n edrych yn ddu iawn arnon ni. Ond fe ddalion ni i gadw'r gême yn agored gan chware'r rygbi mwya gwefreiddiol dwi eriod wedi'i brofi yng nghrys y Scarlets. Sgoron ni dri chais cyffrous – dau gan Darren Daniel ac un gan Barry Davies. Felly, rodd y momentwm yn cynyddu o hyd o'n rhan ni a phenne tîm Toulouse yn cwympo fwyfwy gyda phob sgôr. Llwyddon ni i ddod â hi'n gyfartal, 34–34, a'r stadiwm yn llawn tensiwn. Yna, da'th symudiad gwych i goroni'r cyfan odd wedi'i gynllunio ar gae ymarfer y Strade gan Robert Jones.

Rodd Robert ar y pryd yn hyfforddi'r olwyr yn Llanelli ac ma'n drueni mawr yn 'y marn i nad yw e ar hyn o bryd yn neud mwy o waith o'r math yna. Fe gafodd ddylanwad mawr ar y garfan y flwyddyn honno nid yn unig o ran rhoi awch ar ein sgilie ni ond o ran cyflwyno ffrwyth y blynydde o brofiad a gafodd e ar y lefel ucha un. Buodd e fel rhyw fentor personol i fi cyn iddo ymuno â staff hyfforddi'r Scarlets ac fe fyddwn i'n ei ffonio fe o bryd i'w gilydd yn gynnar yn 'y ngyrfa i drefnu sesiyne un i un gydag e, er mwyn gwella 'ngêm i.

Yn ystod ei gyfnod ar y Strade, bydde Robert yn pregethu pa mor fanteisiol yw hi i dîm sy'n ymosod roi'r agraff eu bod nhw'n mynd am gôl adlam ond, yn lle mynd am y gic, eu bod nhw'n symud y bêl mas yn glou ar hyd y llinell. Dyna pryd, medde Robert, ma amddiffyn y rhan fwya o dime ar ei wanna achos fel arfer fe fydd dau neu dri amddiffynwr yn rhuthro am y ciciwr, gan adel bylche ar y tu fas. Yr wythnos cynt, ro'n ni wedi ymarfer y symudiad wrth amddidffyn pan na'th Stephen esgus mynd am gic cyn lledu'r bêl yn gyflym. Ond y tro hwn, yn hwyr iawn yn y gêm, fe gafodd Stephen y bêl o flan y pyst a rhoi'r argraff ei fod e'n mynd am gôl adlam. Yn lle 'nny, fe roiodd y bêl i Regan King odd yn dod ar garlam y tu fas iddo. Fe gyflawnodd ynte ei ddewiniaeth arferol wrth dorri'r amddiffyn ac wedi iddo ga'l ei daclo o'r diwedd, taflodd y bêl i Nathan Thomas a groesodd am y cais. Trosodd Stephen ei seithfed gic lwyddiannus i neud y sgôr yn 41–34 i ni. O fewn munude, rodd y cyfan drosodd, a ninne wedi ca'l buddugoliaeth ryfeddol. Er bod y dorf yn fud, ar wahân i ychydig o gefnogwyr swnllyd iawn yn eu cryse coch, fe roion nhw gymeradwyaeth gynnes iawn wrth inni adel y cae. Ro'n nhw'n sylweddoli eu bod nhw wedi bod yn dyst i berfformiad arbennig iawn gan Scarlets Llanelli.

2. Cwpan Heineken, Scarlets yn erbyn Munster
30 Mawrth, 2007

A ninne yn rownd yr wyth olaf, un o'r syniade gyflwynodd Phil Davies i'r Clwb odd ein bod ni'n mynd bant am ychydig o ddyddie gyda'n gilydd cyn rhyw gêm fawr. Dyna ddigwyddodd pan ethon ni i gyd ar y dydd Sul cyn y gêm i aros yng ngwesty gwych St. Brides yn Saundersfoot, Sir Benfro. Rodd yr adnodde yno'n wych ar gyfer ymlacio a chael tipyn o hwyl yng nghwmni'n gilydd. Fe gethon ni gyflwyniad fideo pwrpasol iawn gan Phil i'n paratoi ni ar gyfer y gêm, ond er bod Wayne Proctor wrthi'n sicrhau nad odd ein lefele ffitrwydd ni'n cwympo, dodd fawr ddim pwyslais ar ymarfer nac ar dactege. Rodd pawb yn gwbod yn gwmws beth odd isie'i neud ac ar dân i weld nosweth y gêm yn cyrradd.

Rodd yr awyrgylch yn drydanol ar y Strade ar y nos Wener wedyn, a'r dorf yn llawn hwyl. Un syniad arall gan Phil odd ca'l rhywun enwog, a chanddo gysylltiad â'r Clwb, i gyflwyno'r cryse i'r bois cyn y gêm. Rodd yn ffordd wych o'n hysbrydoli ni. Yn gynharach yn y tymor rodd Jonathan Davies a Phil Bennett wedi neud hynny'n effeithiol dros ben. Dwi'n nabod Phil Bennett ers blynydde ac wedi meddwl amdano fe wastad fel bachan ffein, tawel. Ond dwi ddim wedi clywed neb yn traddodi araith mor danbaid â na'th e bryd 'nny, gan bwysleisio beth odd Clwb Llanelli'n ei olygu i'r cefnogwyr, i'r gymuned ac i'r dre a chyment rodd y clwb wedi cyfrannu i fywyd yr ardal.

Ar y nos Wener honno cyn gêm Munster, Derek Quinnell na'th y gwaith hwnnw, gan ein hatgoffa ni cyment o fraint odd ca'l gwigo crys coch y Scarlets mewn gêm mor bwysig. Ar ddiwedd ei araith ro'n ni i gyd ar dân i gyrradd y cae a dechre'r ornest. Pan gyrhaeddodd yr egwyl ro'n ni 17–0 ar y blan a'n pac ni wedi dofi pac yr ymwelwyr yn llwyr, er bod wyth y Gwyddelod yn cynnwys nifer o sêr profiadol iawn. Yn ôl y disgwyl, falle, fe dda'th Munster iddi'n fwy yn ystod yr ail hanner a cha'l cais a chic gosb i greu rhywfaint o fygythiad i ni ond at ei gilydd fe lwyddon ni i'w rhwystro nhw rhag ca'l llawer o'r bêl. Sgorodd Barry Davies gais i selio'r fuddugoliaeth er i O'Ryan groesi i'r ymwelwyr yn yr amser a ganiatawyd ar gyfer anafiade. Rodd pawb yn sylweddoli bod y gêm ar ben a'n bod ni wedi ca'l buddugoliaeth gyffrous, o 24 i 15.

Maswr Munster ar y nosweth odd Ronan O'Gara ac un o'r penderfyniade amheus na'th y dyfarnwr, Chris White, odd cosbi O'Gara am regi. Lwcus nad yw pob dyfarnwr yn cosbi pob rheg ar y cae neu fase dim amser i chware rygbi o gwbwl! Mae e wedi ymddeol o waith dyfarnu erbyn hyn a fe nawr yw rheolwr Academi Genedlaethol y Dyfarnwyr yn Lloegr. Yn sicr, rodd e'n un o'r dyfarnwyr gore y bues i'n chware odanyn nhw. Rodd e'n fachan ffein ac yn un fydde bob amser yn trin chwaraewyr â pharch, odd ddim yn wir am bob dyfarnwr. Rodd e'n un hefyd y gallech chi'i holi fe yn ystod y chware. Bydde rhai dyfarnwyr yn hala chi 'nôl deg llath ychwanegol am holi!

Ma Nigel Owens hefyd yn un o'r dyfarnwyr gore, ac yn un arall ro'n i'n teimlo y gallwn ei gwestiynu ynglŷn â'i benderfyniade. Dau ddyfarnwr arall ro'n i'n mwynhau chware odanyn nhw odd Jonathan Kaplan o Dde Affrica, a'r Sais, Tony Spreadbury. Dodd rhai chwaraewyr ddim yn rhy hoff o'r ffordd y bydde Spreaders – dyna, mae'n debyg, mae ei wraig yn ei alw fe hefyd! – yn siarad yn ddi-baid yn ystod gêm ond ma'n rhaid i fi gyfadde bod awyrgylch y gêm o dan ei ofal e gan amla yn adlewyrchu ei ffordd hwyliog o ddyfarnu. Dwi'n cofio un tro, yn erbyn Glasgow, rodd e'n gyfrifol am un o'r digwyddiade comig 'na sy'n dal i ddod â gwên hyd yn oed heddi. Ro'n ni'r chwaraewyr wedi ymgasglu yn un cylch tyn ar y cae tra odd chwaraewr o dîm Glasgow yn ca'l trinieth am anaf. Ar ganol ein sgwrs dyma ben bach yn ymddangos yn isel rhwng coese'r chwaraewyr yn y cylch i gyhoeddi "Spreaders is here"! Rodd e isie'n cynghori ni ar ryw bwynt neu'i gilydd ynglŷn â'r rheole a dyna shwd benderfynodd e ddechre'r drafodeth.

3. Cymru yn erbyn Iwerddon
Mawrth 19, 2005

Dwi wedi sôn am y gêm arbennig yma'n gynharach ac mae'n sicr yn un o'r tair gêm a fuodd yn bwysig yn 'y ngyrfa i. Nid yn gyment o ran y chware ond o ran yr achlysur, sef ennill y Gamp Lawn am y tro cynta ers 27 mlynedd, gan greu awyrgylch odd yn hollol wefreiddiol. Ro'n ni fel tîm wedi chware'n well mewn rhai o'r gême rhyngwladol erill yn ystod y tymor hwnnw ond dodd dim disgwyl i ni oleuo'r digwyddiad â rygbi agored, cyffrous gan fod cyment yn y fantol. O ganlyniad, rodd llai o gyfleoedd inni chware gyda'n fflach arferol. Eto, rodd hi'n gêm gofiadwy, a chais gwych Kevin Morgan yn adlewyrchu'r ffordd anturus y buon ni chware drwy'r tymor. Da'th Iwerddon 'nôl i sgori dau gais gan ychwanegu at densiwn a chyffro'r achlysur ond rodd y fuddugoliaeth, o 32 i 20, yn felys dros ben yn y diwedd.

Y TRI STADIWM GORE
Awyrgylch yw'r llinyn mesur sy'n pennu'r tri dewis yma ac ma gan bob un o'r tri ei awyrgylch unigryw ei hunan sy'n golygu rhywbeth arbennig i fi.

1. Stade de France, Paris
Cafodd ei hadeiladu yn 1998 ac ma'n dala dros 81,000 o bobol. Ma'r ffordd ma'r stadiwm wedi'i chynllunio yn wych, gyda'r to trawiadol yn gorchuddio'r cefnogwyr heb

ymestyn dros y cae o gwbwl. Er bod chwaraewyr o wledydd erill weithe'n ei cha'l hi'n stadiwm fygythiol a brawychus, yn bennaf oherwydd ymateb y dorf gartre unllygeidiog, fe fydda i wrth 'y modd yn chware 'na. Ma holl sŵn y gweiddi, y chwibanu a'r bandie yn ychwanegu at yr achlysur i fi bob amser ac yn tynnu'r gore mas ohono i. Ma'r time pêl-droed a rygbi cenedlaethol yn chware'u gême cartre yno ond ma Undeb Rygbi Ffrainc yn bwriadu adeiladu stadiwm newydd ymhen rhyw bum mlynedd, ar gyfer gême rygbi rhyngwladol y wlad tua 25 milltir i'r de o Baris. Ma'n debyg fod y gost o logi'r stadiwm, tua £2,000,000 y gêm, yn rhy uchel i'r Undeb Rygbi.

2. Stadiwm y Mileniwm

Dwi wedi clywed nifer fawr o chwaraewyr rygbi yn cyfeirio at Stadiwm y Mileniwm, gafodd ei hagor yn 1999, fel y lle gore ma nhw wedi chware ynddo eriod. Do's dim dwywaith bod y cynllun yn drawiadol dros ben, gan fod yr eisteddleoedd yn codi mor ddramatig ac ma'r cyfleustere yno yn ardderchog. Ar ddiwrnod gwlyb ma cau'r to yn creu rhyw awyrgylch arbennig – hon odd yr ail stadiwm drwy Ewrop gyfan i ga'l to o'r fath.

Dychmygwch y wefr o ga'l chware yno gyda dros 74,000 o gefnogwyr Cymru yn bloeddio'u cefnogaeth i'r tîm. Bydd y sŵn byddarol hwnnw'n atseinio o gwmpas y stadiwm ac yn ysbrydoliaeth wych i'r chwaraewyr cartre bob amser.

3. Parc y Strade

Rodd y Strade wedi bod yn rhan bwysig o 'mywyd i ers pan o'n i'n grwtyn bach. Ar wahân i fynd yno'n rheolaidd gyda Dad a chyfrannu at y gefnogaeth ferw odd i'w deimlo yno dros y Scarlets, ro'n i wedi clywed cyment o sôn am gampe'r tîm dros flynydde lawer.

Rodd e'n brofiad cwbwl wahanol, yn fwy pleserus, i ga'l

teimlo'r gefnogaeth gynnes honno pan o'n i ar y cae ac yn gwisgo'r crys sgarled. Ers y blynydde cynnar, ro'n i mor ymwybodol o'r hyn rodd Clwb Llanelli yn ei olygu i bobol yr ardal ac wrth glywed y dorf ro'n i'n teimlo mor falch bob amser ar y cae 'mod i'n ca'l cyfle i gynnal y traddodiad hwnnw. Ma Parc y Strade fel dwi'n ei gofio fe wedi diflannu ers 2010 ond bydd iddo fe le cynnes iawn yn 'y nghalon i am byth.

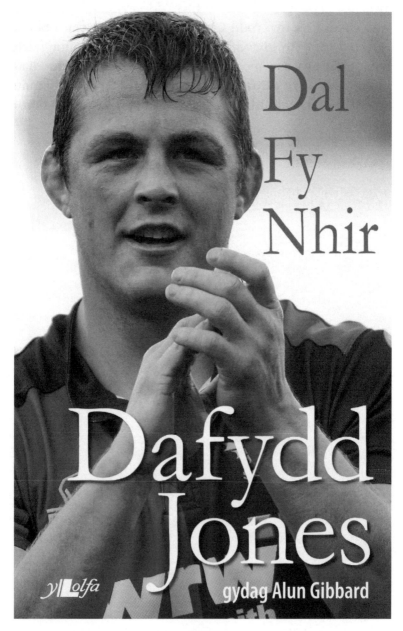

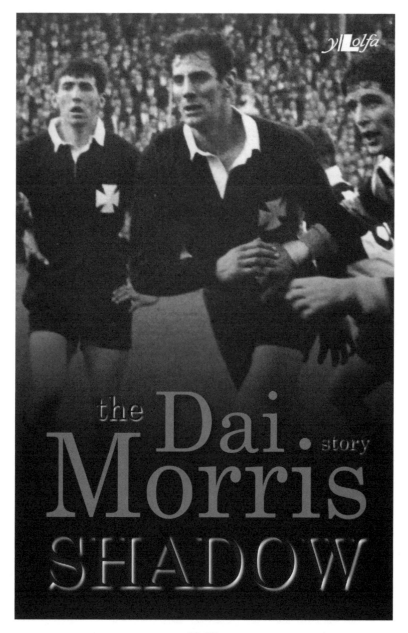

the Dai . story
Morris
SHADOW

£9.95

'Exposing the truth about the Regions
and the demise of rugby in the Welsh Valleys'
y lolfa
LYNN
Howells
Despite the Knock-backs
Introductions by Graham Henry and Neil Jenkins

£9.95

Robin
McBRYDE

My story so far

Staying
Strong

£9.95

NEATH PORT TALBOT LIBRARY AND INFORMATION SERVICES

1		25		49		73	
2		26		50		74	
3		27		51		75	
4		28		52		76	
5		29		53		77	
6		30		54		78	
7		31		55		79	
8		32		56		80	
9		33		57		81	
10		34		58		82	
11	6/18	35		59		83	
12		36		60		84	
13		37		61		85	
14		38		62		86	
15		39		63		87	
16		40		64		88	
17		41		65		89	
18		42		66		90	
19		43		67		91	
20		44		68		92	
21		45		69		COMMUNITY SERVICES	
22		46		70			
23		47		71		NPT/111	
24		48		72			